U0137065

百科探索 01

探索UFO
未解之謎

UFO（不明飛行物）和外星人已經被證實是存在的，

它們是什麼樣子，它們來自哪裡？

來自深海，來自外太空，

還是僅僅是人類對自然現象的錯覺？

趙芳芳———編著

前　言

UFO(不明飛行物)和外星人真的存在嗎？它們是什麼樣子，它們來自哪裡？來自深海，來自外太空，還是僅僅是人類對自然現象的錯覺？十九世紀以來，世界各地不斷地出現目擊 UFO 的報導或傳聞，特別是二十世紀五〇年代人類拍到實地照片以後，「UFO」、「飛碟」、「外星人」這些字眼在公眾媒體上出現的頻率越來越高。到了今天，UFO 已成為青少年朋友最津津樂道的話題之一。

地球對於人類來說，是廣袤無垠的大千世界；而對於宇宙來說，只是渺小的一顆蔚藍色星球。也許早在千百萬年前、人類還未誕生之時，地球上早已出現過來自另一個空間的奇異現象和聲音：數億年前的核反應爐，遠古岩畫上的太空人，古代印度的「戰神之車」……

人類的歷史和宇宙的歷史相比只是短短的一瞬，現代

科學的水平只是停留在人類現有的認識階段上，更為深奧的宇宙本質尚未被人類揭示。隨着科學技術的進步和人類的發展，人們越來越關注頭頂上的這片星空，探索除了地球人之外，宇宙中存在智能生命的可能：既然太陽系能夠產生智慧生命，我們有什麼理由不相信宇宙中的其他星系同樣能夠孕育生命呢？人類也為此付出了種種努力：「先驅者號」和「旅行者號」攜帶著地球人的基本訊息，今天可能已經飛到了太陽系的邊緣，未來還會飛往更遙遠的宇宙空間。

本書分為五個部分，將人類近百年來獲取的有關UFO的重要訊息向你一一呈現。透過生動詳實的資料、準確具體的數據和簡潔有趣的文字，來描述你最想知道的未解之謎，給予你閱讀的快樂和智慧的啓迪。

好奇心是人類發展的動力，而科學知識是人類進步的階梯。我們唯有將這兩點結合在一起，才能夠真正接近本書所有疑問的答案，發現UFO和外星人的廬山真面目。

編　者

世界 UFO 事件

中國 UFO 事件

目錄

接觸外星人

外星人留給地球什麼

人類對 UFO 的研究

探索 UFO
未解之謎

世界 UFO 事件

　　以一九四七年的阿諾德和羅斯威爾為起點，UFO 在半個多世紀裡飛到了世界各地，始終吸引著人們的眼球，也吸引著科學家們進行著不懈探索，由此掀起了經久不息的熱潮。

UFO 的首次報導

高少年必讀百科探索叢書

UFO 是一個英文簡稱，中文意思是「不明飛行物」。自從這一詞語出現之後，地球上有千千萬萬人都和不明飛行物攀上了關係，他們聲稱自己是目擊者，寫下了目擊報告，甚至拍下了照片。僅僅最近三十年，關於不明飛行物的報告就達七萬之多。其中大部分已被確認是流星、彗星、飛機、火箭、大氣擾動現象，還有人自身的幻覺，甚至故意造假。但除此之外，仍有相當一部分不明飛行物的現象，經過科學家的分析研究，仍然無法解釋。人們就把這些物體稱為 UFO。要說到 UFO 引起世界轟動，還得從一九四七年六月二十四日美國人肯尼斯・阿諾德的遭遇開始。

阿諾德曾經是美國空軍飛行員，退役後是美國愛荷華州波夕市一家消防設備公司的老闆兼民航機駕駛員。那天下午兩點，他駕駛私人飛機從華盛頓的麥哈里斯機場起飛，去搜尋在卡斯開山墜毀的一架 C-46 型運輸機。

當時天氣晴朗，能見度很高。阿諾德駕機經過華盛頓的藝特雷尼地區，在萊尼爾峰上空三千五百公尺的高度飛行時，忽然發現飛機機翼的左側有一道耀眼的閃光。他環視四周，看到有九個閃閃發光的圓盤形物體，排成兩列梯隊，正從貝克山方向往南飛來，它們貼著山頂飛，飛行速度極快。當它們從飛機前飛過時，阿諾德測算了一下它們的飛行速度，大約為每小時一千九百公里，是當時一般飛機時速的三倍。

阿諾德在接受記者採訪時說，這些飛行物「像餡餅碟一樣扁平」，它們飛行時還圍繞自身的中心軸高速旋轉，能不規則地轉向，「就像碟子掠過水面」。由於這個生動的比喻，第二天，新聞媒體用「飛碟」一詞報導了阿諾德的發現。從此，「飛碟」一詞為全世界的公眾所接受，成了不明飛行物的代名詞。

阿諾德一夜之間成了風雲人物，他自己還編了一本小冊子《飛碟目擊記》，十分暢銷。

自此，美國的各電臺、報社不斷接到人們的電話，都聲稱自己目睹過飛碟。一時之間，「飛碟」成了美國各大報刊競相報導的頭號新聞，並且很快擴展到其他國家和地區，一場飛碟狂潮席捲全球。

撲朔迷離的羅斯威爾事件

　　美國新墨西哥州東南部的羅斯威爾，是一個名不見經傳的小鎮。一九四七年七月四日深夜，羅斯威爾上空雷聲陣陣，大雨滂沱。四十九歲的農場主人麥克‧布雷澤爾，被一種夾雜在雷聲中的巨大聲響驚醒。天亮後，掛念著牧場的布雷澤爾匆匆向西北部趕去。在距離小鎮大約一百二十公里遠的福斯特牧場，布雷澤爾意外地發現周圍大約四百公尺範圍內，散布著一種特殊的金屬碎片，這種碎片的材質他似乎從未見過。細心謹慎的布雷澤爾搜集了一些金屬碎片後，轉交給美國空軍基地的傑西‧馬瑟爾少校。

　　七月八日，當地的《每日新聞報》刊登了一則新聞稿，宣稱空軍軍方馬瑟爾少校發現一個墜落的「飛碟」，「飛碟」將被送到俄亥俄州空軍第八軍總部做進一步的檢查。但六個小時後，空軍第八軍總司令羅傑‧雷梅發表聲明，稱馬瑟爾少校得到的並不是飛碟，是帶著雷達

反應器的氣球的殘骸。七月九日，另一篇報導索性說，農場主人布雷澤爾根本沒有聽到爆炸聲。這幾條新聞經轉載後，立即引發了一場軒然大波。UFO 本已極受關注，再加上美國空軍方面前後矛盾的說法，人們越來越覺得事件背後似乎隱藏著什麼。於是，無數想一探究竟的飛碟愛好者，湧向美國新墨西哥州的這個小鎮。但人們進入羅斯威爾之後發現，布雷澤爾的牧場周圍二十公里高度戒嚴，到處布滿了士兵。

人們一直靜候美國軍方公開羅斯威爾事件。但事態的發展未能如公眾所願，軍方仍然堅持己見，一場長達半個多世紀的探秘之旅就此開始。

 **相關連結**

一九九五年的造假影片

一九九五年八月十九日和二十日，在英國謝菲爾市哈蘭大學舉行的第八屆國際 UFO 大會上，一位名叫雷·山提利的英國商人公布了一部拍攝於一九四七年的紀錄片，片子披露了當年飛碟墜毀與美國軍方解剖外星人的全部過程。這部影片有十四卷，是十六公

分黑白片，每卷約七分鐘，全長九十一分鐘，只是聲道空白。

大部分觀看者都認爲這部紀錄片已成鐵證，但誰也沒想到，二〇〇六年四月，又一條震驚世人的消息傳出：英國著名電視特技師哈姆菲雷斯向媒體承認，解剖外星人的影片是他和另外幾名同行炮製的。這部轟動一時的黑白紀錄片，並非一九四七年在美國新墨西哥州羅斯威爾附近的沙漠上拍攝的，而是一九九五年在北倫敦卡姆登地區的一座公寓中拍攝的。

這部造假影片欺騙了全世界，羅斯威爾事件不僅沒能真相大白，反而更加撲朔迷離。

青少年必讀百科探索叢書

UFO 上的神秘標誌

離奇的「汽車事故」

一九六四年四月二十四日下午五點四十五分，美國新墨西哥州州警薩莫拉正駕車追趕一輛逃逸汽車。當他開到新墨西哥州索科洛鎮以南的八十五號公路上時，突然聽到一聲巨響，接著就看見西南方向火光沖天。薩莫拉猛然想到距此八百公尺外有一座炸藥倉庫。事關重大，於是他放棄追趕，調頭朝西南方向疾駛而去。車子駛上一條碎石路後，薩莫拉減速前進，找尋著剛才的火光發生地。在他的印象裡，那火光看上去偏藍色，稍帶一點橙色。另外，他還注意到另一個怪現象：起火現場完全看不到煙。

薩莫拉駕著警車向西緩緩前進，沒發現任何異常情況。就在他準備尋找炸藥倉庫時，突然看到南面一百五十公尺處有個發光體。「那不是翻過來的汽車嗎？是不

是發生了一起汽車事故？」緊靠著發光「汽車」旁，還有兩名身穿白色連身工作服的「男子」。「也許他們需要幫助。」薩莫拉一邊加速駛去，一邊用車上的無線電話與索科洛鎮派出所聯繫，報告這裡可能出了車禍，司機正在車外忙著檢修。然後他停車走出車外。

這時，一位身穿白色連身服的「男子」正巧看到薩莫拉，吃驚得像要跳起來。薩莫拉這時才看清，那疑似「汽車」的發光體竟然是一個像是鋁製的橢圓形金屬物體，它的底端好像被什麼東西支起，使整個發光體矗立在地面上。

清晰的神秘標誌

又是一聲巨響。驚呆的薩莫拉看見面前發光體的底部躥出火焰——它開始筆直地上升。那火焰下方是橙色，上方是淡藍色，同樣沒有冒煙。

是UFO！想到這裡，薩莫拉瘋了似的往回跑，登上離車大約十五公尺處的一個小山丘。他緊緊地伏身在灌木叢中，驚恐地盯著眼前的一幕：發光體還在上升，它整體呈精密的蛋形，表面光滑，既沒窗也沒門或艙口，在蛋體側面清晰地畫著一個特殊標誌，該標誌為一條橫

線向上的箭頭指向一個開口向下的弧。這個標誌高五十到六十公分，寬五十公分左右。

巨響停止了。薩莫拉趁著自己仍能看到蛋形發光體，趕緊與索科洛鎮派出所聯繫，但當派出所的查維斯警長到達時，發光體已經完全消失了。

消失的見證者

查維斯警長立即將此情況匯報給聯邦調查局(FBI)。後來，不單FBI，美國陸軍、空軍，包括報刊、電視臺、電臺，甚至好萊塢電影公司也參與進來，索科洛一帶出現 UFO 的消息頓時傳遍世界。

薩莫拉不堪其擾，將自己看到的情況如實說出後，即拒絕了新聞媒體的採訪。美國軍方也很難再挖出更有價值的線索。峰迴路轉的是，一名空軍調查人員準備離開小鎮時，與鎮上加油站的營業員偶然交談起來，得知了一個新情況：在薩莫拉目擊發光物體的同一天的同一時刻，加油站的一名顧客也目擊了那奇怪的蛋形飛行物。它一邊發出奇特的聲音，一邊以極快的速度飛過低空。

營業員說：「我剛取油罐回來，見到那個顧客異常

興奮，滔滔不絕地說自己見到奇怪的飛行物體。這個時候，我恰好見到從懷特桑茲導彈發射場飛來的一架直升機。我對顧客說，瞧，是不是這架直升機？那個顧客強調他看到的絕不是直升機，然後就開車離去。」索科洛UFO事件中，除薩莫拉之外的唯一見證者就這樣銷聲匿跡了。

　　美國空軍「藍皮書」計畫調查機構邀請天文學家 J・艾倫・哈依內克博士審核當時發生的所有情況。哈依內克博士認為事件中最神秘的是蛋形飛行器上的特殊標誌：這到底代表著什麼意思，是蛋形UFO的身份證明還是另一個星球的縮寫符號？天文學家和軍方一樣，百思不得其解。

UFO 與世界大戰之謎

有跡可循

第二次世界大戰曾帶給地球最為恐怖和嚴酷的災難。從一九三九年到一九四五年，六年的戰爭導致死亡人數達五千萬之多。在這場戰爭中，空中力量首次成為決定性因素。空戰不僅影響著陸戰和海戰的勝負，而且直接決定整個戰爭的進程，因此飛機和空軍飛行員也就成了各個交戰國最重要的空戰武器。

在英、美、蘇、德、日五個主要交戰國的軍隊中，空軍的比例尤為突出。飛行員們憑借超強的心理和身體素質、特殊的訓練以及先進的武器，毋庸置疑地成為軍隊的王牌。由於經常要面對死亡，他們逐漸訓練出了超乎尋常的反應能力。能否快速精準地發現、辨認敵機決定著他們的生死安危。因此，他們的觀察基本不會存在失誤。在這種前提下，二戰期間由空軍飛行員所提供的

關於發現不明飛行物的報告就顯得非比尋常了。

碟影頻頻

一九四二年初，英國皇家空軍的一架戰鬥機在執行完對德國城市埃森的夜襲任務後返回英國。他們剛剛飛離德國領空，機上的一名炮手就發出警報說，他們的飛機被一架德軍飛機跟蹤了。根據以往的經驗，機長果斷地下令開火。沒想到對方儘管被擊中數次，卻未被損毀，也沒有還擊。大家經過仔細觀察，發現這架「德軍飛機」輪廓平滑，渾身還發著光。十幾分鐘後，這架「德軍飛機」忽然升高，以驚人的速度從他們的視野裡迅速消失了。

一九四二年三月十四日下午五點三十五分，德國空軍設在挪威巴納克的秘密基地突然進入緊急狀態，因為雷達上顯示：一個陌生的空中物體正在飛行。基地最優秀的飛行員、工程師費舍上尉立即駕駛一駕 M-109G 型飛機起飛，並成功地在三千五百公尺高空處截住了該物體。這位德國飛行員後來在報告中寫道：「陌生的飛船似乎是金屬製造的，形狀如一架機身長一百公尺、寬十五公尺的飛機。前端可以看見一種天線一樣的裝置。儘

管沒有機翼,也看不見發動機,然而這艘飛船在飛行中卻能完全保持水平。我跟蹤了它幾分鐘,然後,它突然升高,以閃電般的速度消失了。」費捨上尉截住它的打算落空了,基地雷達站再沒有找到它的影子。儘管這位德國上尉是造詣很高的軍事專家,但他也承認自己辨別不出這艘飛船。令他深感驚嘆的是,它的速度非常快,只有機身沒有機翼,操作卻異常靈活,而且沒有倚仗自己的優勢把費舍上尉的飛機擊落。

被 UFO 跟踪的戰鬥機

　　一九四四年二月十二日,德國在其秘密軍事基地孔梅爾多夫試驗,發射了第一枚 V-2 型火箭彈道導彈。這次試驗的目的是檢驗這種超音速導彈(當時還沒有任何武器可以將它截擊)的性能。當然,這一事件從頭至尾都被拍成電影。但是在沖洗膠片時,技術人員驚愕地發現,

他們那無與倫比的導彈在飛行過程中，始終被一個不明的圓形物體跟蹤，那物體竟然還若無其事地繞著導彈飛行。基地上的人們發現不了那個物體，因為它的飛行速度超過導彈，時速是兩千公里。這件事引起了巨大恐慌。希特勒和戈林都很惱火，認為盟軍通過發射間諜裝置，把他們寄托全部希望的 V-2 型導彈秘密武器了解得一清二楚，而且很明顯，盟軍研製出的新型武器遠遠超過了 V-2 型導彈！這幾乎是不可能的，但以當時的思維又找不到其他合理的解釋。因此，這個不明飛行物在很長一段時間裡困惑著德軍。

小鎮上空的神秘飛船

飛船和遺體

一八九七年四月十七日的清晨，德克薩斯州奧羅拉鎮郊區沃斯城堡上空，飄浮著一個巨大的銀色雪茄型物體。這個物體隨後撞上了普洛克特法官住宅的塔樓，並發生了爆炸，殘骸散落得滿地都是。人們在殘骸中發現了一具身材瘦小、極為畸形的生物軀體，當地的報紙稱其「絕非地球上的生物」。當地的美國陸軍通訊官、天文學專家威姆斯先生認為，飛行器裡的不明屍體是來自火星的居民。

人們按基督教的儀式，將外星人的遺體安葬於小鎮的墓地中。為了表明這裡是飛船上飛行員的墓地，還專門為它刻了一塊墓碑。但是飛行器的殘骸則被扔進一口井內。

它不是熱氣球

從一八九六年的十一月份開始，神秘的飛船陸續在德克薩斯州、加利福尼亞州、密西根州等二十多個州出現，目擊者多達數千人。在絕大多數的目擊報告中，飛船都呈雪茄形，有人說它發著光，有人說沒有，有人稱其飛行速度達每小時三百二十公里，甚至每小時四百八十公里。

在十九世紀末期，熱氣球已經廣泛使用，但它並不能像目擊者所描述的那樣會做直角轉彎、快速升降等複雜動作。在十九世紀末，飛機還沒有誕生，能在天上飛的人造物體除了熱氣球外，還能有什麼呢？

如果這艘飛船像某些研究者認為的那樣，來自文明程度更高的星球，為什麼在長途跋涉數個甚至數十光年，成功躲避了隕石、宇宙射線輻射、小行星帶，甚至黑洞吞噬的襲擊之後，一頭撞毀在小鎮的塔樓上呢？

專家們的研究

一九七三年，「共同UFO網絡」的調查者們，在普洛克特法官的住宅附近發現了一塊奇怪的金屬。測試分

析結果顯示，這塊金屬是由百分之九十五的鋁和百分之五的鐵組成的。蹊蹺的是，在鋁中溶解百分之五的鐵是絕對不可能的，兩者無法以這種方式結合。一般情況下，當有鐵物質時，一般還會同時存在鋅或其他雜質金屬，但該物體卻沒有。UFO研究者約翰‧舒斯勒認為：以當時的技術，這種金屬只能透過十分精密的實驗室運用超純的提煉技術製造，絕不可能是奧羅拉鎮及其周圍的任何地方製造的。

堪薩斯州立大學物理教授湯姆‧格雷博士也在一八九七年飛船墜落現場找到了一塊金屬，測試後發現其主要成分為鐵。當他將這塊金屬置於其他金屬和磁體前時，並沒有產生任何應有的反應。

證據消失了

「共同UFO網絡」的調查人員為了找到真相，來到了奧羅拉鎮。在一棵百年古樹下，調查人員終於找到了當年埋葬外星人的墓地，還有那塊刻有飛船的墓碑。調查人員用金屬探測器對墓穴進行掃描時，聽見墓穴中發出與他們掃描從墜毀現場挖出的金屬碎片一樣的聲音，而且分貝數也一樣。於是，他們要求挖掘墓內遺體，但

被奧羅拉鎮墓地委員會拒絕了。然而，當「共同UFO網絡」調查者再次返回墓地時，那塊墓碑不見了，並且金屬探測器也探測不到周圍含有金屬物質，只是在墓地旁邊發現了一段二十多公分長的管子。有人暗地裡挖走了墓穴中的金屬碎片。從此，這唯一的外星飛船殘片證據永遠消失了。

神秘的光束

帕納拉馬小鎮驚悚事件

巴西北部，有一個名叫帕納拉馬的小鎮。一九八一年十月十七日傍晚，費雷拉和他的朋友阿維爾博羅像往常一樣去森林打獵。他們兩人來到獵物經常出沒的地方，分別爬上一棵矮樹，埋伏了起來。突然，他們發現空中有一個東西在移動，那絕不是流星，因為這個發光物變得越來越大，他們終於看清那是一個像卡車輪子一樣的飛行物，它向四周發出強光，把他們埋伏的地方照得亮如白畫。費雷拉驚恐萬分，慌得從樹上摔了下來。同時他看到一束光正射在阿維爾博羅的身上，嚇壞了的阿維爾博羅發出尖叫，身軀也顫抖起來，費雷拉嚇得撒腿就跑。

第二天早晨，費雷拉去阿維爾博羅家，發現他並沒有回家。他和阿維爾博羅的家人一起來到那個飛行物出

現的地方，在那裡找到了可憐的阿維爾博羅的屍體。他死了，臉色慘白，神色驚恐，身上的血液全都沒有了，就好像有一隻巨大的吸血蝙蝠把他的血全都吸光了似的。

一波未平，一波又起

發現阿維爾博羅死亡的第二天，即十月十九日，當地的另外兩個獵人——阿維斯塔西奧‧索薩和雷蒙多‧索薩去狩獵時，也遇到了同樣的事。他們穿過一片樹林，忽然聽到頭頂上有一種奇怪的聲音，抬頭一看，一個黑糊糊的東西一動不動地懸停在空中，像一架直升機似的，距樹梢有幾公尺高。

然後，一束光從那東西中射出，直射到他倆所站的那片地面上。兩名獵手轉過身子，拔腿就跑。突然，雷蒙多在一個樹根前跌倒，繼而便倒在地上。此時，阿維斯塔西奧驚愕地看到，那束光正一點點地朝雷蒙多的身子移近，最後射在了他伙伴的身體上。阿維斯塔西奧拋下了自己的伙伴，一口氣逃回了家。次日清晨，雷蒙多的遺體被人們發現，這件事像兩天前發生的阿維爾博羅事件一樣，死者雷蒙多身上的血也被吸乾了。

「無聲的雷電」

不久以後，又有兩人在類似的情況下死去。具體的情況是：一個名叫迪奧尼西奧·赫內拉樂的人正在山頂上幹活，突然，一個不明飛行物發出來的光束射在了他身上。

這個不明飛行物是突然出現的，當時他連一點聲響也未聽到。他像是被雷電擊中一樣，倒在地上，從山頂一直滾到山腳，之後他掙扎著站了起來，回到家中。三天以後，他就在精神失常的狀況下死去了。

接著又發生了第四起類似事件。何塞·比希尼奧和多斯·桑托斯兩人去打獵，不明飛行物以及它的強烈光束又出現了。何塞趕快逃了回來。而多斯卻被光束罩住，硬邦邦地倒在了地上，甚至沒有發出一點聲音就死去了。

綠光使他們恢復了健康

另一件更奇怪的事情，發生在土耳其的曼尼沙市，時間是一九八八年十二月的某一天。那天城市上空突然出現了一個閃爍著綠色光輝的圓盤形不明飛行物，在空

中盤旋停留的時間長達一小時。該市的許多居民都目睹了這一現象，有人還拍下了照片。令人難以置信的是，該市一家醫院的病人，事後竟然都突然痊癒，恢復了健康。

當地一位名叫尼迪的醫生大惑不解，他為此遍訪了那些幸運兒，發現治癒這些病的「大夫」原來是飛碟上發出的綠光。伊尼莎的丈夫中風癱瘓多年，一直臥床不起，他是尼迪醫生的老顧客。伊尼莎告訴尼迪醫生，當飛碟發出的綠光透過窗戶射到床上的丈夫身上時，奇蹟便出現了。病人僵硬的雙腿突然能緩慢地移動，手指也有了感覺，隨後便試著下床，居然可以站立，並且開始走動了。當時，她簡直不敢相信自己的眼睛。另一個名叫卡馬爾的癱瘓病人，在事件的第二天也走動如常。

這些不可思議的怪事傳到了首都，安卡拉公立醫院的一批醫生趕到曼尼沙市，一戶戶拜訪了那些不治而癒的病人，得出的結論是：那個不明飛行物上的綠光使他們恢復了健康。

凱克斯堡事件

「火球」突降凱克斯堡

一九六五年十二月九日下午三點，一團「巨大的火球」轟然劃過北美洲的天空。加拿大及美國密西根州、俄亥俄州和賓夕法尼亞州的眾多目擊者都看到這一突發現象。「火球」最終降落地在賓夕法尼亞州凱克斯堡小鎮外的樹林中，林中騰起的一團藍煙吸引了當地居民的注意。很快，一批全副武裝的美國空軍和陸軍士兵趕到事發地點，封鎖了現場。

事發當晚，這一消息就迅速傳遍了賓夕法尼亞州，許多家媒體記者趕赴現場，想獲得第一手新聞，軍方無一例外地全部阻止。夜色漸深，數百名記者與當地居民還在警戒線外守候，有些熟悉地形的人甚至準備繞道進入林中，但未能得逞。圍觀的人漸漸離去，一直到午夜時分，堅守觀望的人們終於看到了奇怪的一幕：一輛軍隊的大平板車

載著柏油雨布遮蓋的神秘物體飛快駛離現場。

十日一大早，《賓州論壇評論》的頭版頭條上便赫然寫明「不明飛行物墜落凱克斯堡，軍隊封鎖整個地區」。但到了下午，晚報頭條卻變成「搜索行動沒有發現任何物體」，美國軍方作出的回答也如出一轍：十二月九日晚上的凱克斯堡神秘飛行物墜毀事件沒有發現任何東西。

當地媒體截然不同的報導讓民眾無法信服，凱克斯堡驚現不明飛行物的消息立即傳遍美國。

意外死亡的目擊者

由於美國軍方的說法不能服眾，人們提出了種種疑問。有因此遭到攻擊和嘲笑的議論者，也有離奇死亡的調查者，還有至今都不願再提此事的目擊者，彷彿他們經歷了一場不堪回首的噩夢。

事件目擊者之一、美國著名的爵士音樂家傑瑞·貝特茲曾公開表示，當年他就在事發現場，士兵為了阻止他和朋友們靠近樹林不惜用槍脅迫，而就在他們離去時，正巧看到軍隊的平板車載著一個外形如鐘的神秘物體飛速離開。賓州一位知名商人也作證說，那時他還年少，

和一群小朋友一起溜進現場想看看那神秘的墜落物，但同樣被舉槍的士兵極其凶蠻地阻止了。這一切讓傑瑞·貝特茲和這位商人，包括多數目擊者在困惑的同時，愈發覺得那個墜落的神秘物體隱藏著不可告人的秘密。

凱克斯堡當地 WHJB 電臺的記者兼新聞編輯約翰·莫菲，是第一個抵達現場並目睹了神秘物體的人，也是該事件的調查者，更是因此而神秘死去的第一人。據莫菲的前妻伯尼·米斯蘭格回憶，莫菲在 UFO 降落現場拍了許多卷照片，其中多數膠卷被隨後趕到的憲兵沒收，只有最後一卷僥倖留存了下來。後來，WHJB 電臺臺長梅布爾·馬扎看到了這個膠卷的照片：「天挺黑

凱克斯堡事件不久，鄰近的新澤西州出現的鐘狀 UFO

的，四周有許多樹，我不知道他當時離現場究竟有多遠，但我能清楚看到其中一張照片有鐘狀的怪物。那是我唯一一次看到 UFO 的真面目。」

莫菲為了調查事情的來龍去脈，事後又錄製了一部紀

實報導《樹林裡的怪物》，裡面有他的親眼所見，也有對其他目擊者的採訪，並準備播出。但就在播出前幾天，兩名身穿黑色西裝、自稱是政府官員的男子找到了莫菲要求「談點事」。三十分鐘後，當三個人從會談密室裡出來時，錄音帶已被沒收，照片也沒了蹤影。莫菲也像換了個人似的，不僅拒絕談起此事，而且完全中止了調查。

四年之後，這個第一位到達現場的目擊者、調查者，被一輛沒有任何牌照的小轎車撞死，警方將其定調為「交通肇事逃逸事件」，莫菲的死就這樣不了了之。

一九九〇年，一位空軍憲兵在接受美國《不解神秘事件》節目採訪時透露，他是當年守護過凱克斯堡神秘怪物的警衛之一。一九六五年十二月十日凌晨，凱克斯堡神秘怪物被運抵哥倫布市的洛克伯尼空軍基地，在基地內的一幢房間內打包密封後又被轉移到附近的彼得遜空軍基地，此後的事他就不知道了。這位憲兵本以為這麼多年過去了，此事應已解密，可以公開透露，但不幸的是，採訪後不久，一向身體健壯的他就因「心臟病突發」，死在了駕車途中。幾位目擊者的奇怪見聞與離奇死亡都讓凱克斯堡事件愈發顯得撲朔迷離，人們的心中既充滿疑問，又對它望而生畏。

紐約大停電之謎

整個紐約停電了

一九五七年，美國空軍研究人員發現，很多UFO目擊報告中都提及不明飛行物會對電流產生作用。不明飛行物主要透過某種受控電磁波來干擾電路，它可以使飛機導航儀及無線電通訊受干擾，可以使汽車熄火、引擎停轉，而這些都會對我們的安全造成嚴重威脅，尤其是對正在飛行中的飛機。除此之外，不明飛行物還可能會導致大範圍的持續停電，使公眾生活受到嚴重影響。

一九六五年十一月九日，美國的重要城市紐約發生了重大停電事故。這次事故導致紐約六百列火車停駛，六萬人被困在漆黑的隧道裡，數以千計的人被關在電梯中，市內橋梁和地鐵隧道一片混亂，交通事故接連發生。拉瓜迪亞機場勉強飛出了幾架飛機，肯尼迪國際機場的所有航班全部取消，準備在該機場降落的飛機全部

改飛其他機場。

是 UFO 幹的嗎

事發當晚，紐約漢考克機場的工作人員看到有不明飛行物出現。據目擊者說，當時看到一個巨大的物體在低空緩慢地飛行，幾分鐘後，又出現第二個一模一樣的巨大飛行物。當時，另外一位目擊者韋爾登·羅斯教官正駕機向機場飛來，羅斯和坐在他後面的另一位飛行員吃驚地發現，一個直徑三十公尺左右，渾身通紅的火球正極速飛離地面，轉瞬間便消失在夜空中。

雖然身處一片漆黑中，但羅斯憑著自己的經驗安全地將飛機著陸。據羅斯判斷，那不明飛行物出現的位置應該就在克萊配電站上空，而克萊配電站則控製著全紐約的用電。事發當天，國防部副部長賽勒斯·萬斯以及核電網的大部分供電專家都認定，紐約大停電的原因出在克萊配電站的電路上。

配電站設施完好無損

當紐約全市停電的消息傳到華盛頓白宮時，時任美國總統的約翰遜立即命令緊急戰備部宣布全國處於緊急

狀態。當天晚上，約翰遜一夜未眠，連夜召開緊急會議，下令聯邦能源委員會馬上進行調查，並以每五分鐘一次的頻率向負責此事件的負責人詢問最新情況。

美國的能源專家們一籌莫展，對這場突如其來的、大範圍的停電事故無法做出合理的解釋。因為紐約周圍的電網都是新設備，供電和控製係統萬無一失，線路上也沒有發現問題。幾家發電公司的負責人也紛紛發表講話，表示不理解這次事故的原因，而各家報紙都把當晚目擊的 UFO 說成是「罪魁禍首」。

時任聯邦能源委員會主席的瑟夫·C·斯威德勒由於沒有找到停電的原因，只得宣布，可能永遠無法找到這次大停電事故的真實答案，並聲稱無法保證類似的停電事故不再發生。

美國東北部最大的發電公司經理查爾斯·普拉特發表談話稱，不知道這次停電事故發生的原因，因為所有設備都完好無損，發電機組、保險器都沒有發生故障，線路也沒有斷。愛迪生電業集團的發言人認為，如此大範圍的停電事件令人咋舌，似乎什麼東西將大量的電能吸走了，彷彿整個電流都通入地球內部似的，對此目前尚未有任何合理的解釋。

這些大規模的停電事故是否真的是天外來客所為呢？目前人類還無法證實這一點，因為我們還沒能逮捕到真正的「肇事者」。

蘭德薩姆森林上空的異光

去而復返的 UFO

英國皇家空軍的本特沃茨基地和沃德布里奇基地的中間地帶，駐紮著一批美國空軍士兵，蘭德薩姆森林正位於這片地帶。

一九八〇年十二月二十五日晚間，森林上空掠過一道異光。英美兩軍都發現了不尋常。二十六日凌晨，當時駐紮在薩福克郡空軍基地的美軍副指揮官查爾斯・哈特上校立即派出三人小組，到達現場調查。令美軍驚異的是，蘭德薩姆森林中並沒有任何墜毀飛機的殘骸，出現在他們眼前的是一架 UFO。

返回基地的美軍立即將這一情況匯報給哈特上校，但哈特上校認為UFO純屬無稽之談，此事沒有引起他的警覺。由於美國士兵在英國軍事基地中面臨複雜的法律權限問題，後來由薩福克郡的英國警官接替他們來到

UFO降落地點進行調查。在那一小片降落地面上，殘留著一個明顯的等邊三角形。經檢測，英軍發現降落地點的輻射能量異常高。雖然證據在此，哈特上校卻仍是半信半疑。

第二天晚上，一名空軍士兵突然衝進哈特上校的房間，結結巴巴地報告：「長官，它，它回來了。」哈特上校困惑地問：「什麼？什麼回來了？」士兵說：「UFO。長官，UFO回來了。」

執意拆穿謠言的哈特立即帶領士兵衝進森林，但眼前看到的一幕卻令他大吃一驚——那片奇異的光仍然悠然自得地盤旋在蘭德薩姆森林上空。這讓哈特上校不得不相信UFO的存在了。這個小組立即展開追蹤，但就在此時，他們的無線通訊系統卻突然失靈了，連用來照亮森林的電燈也突然熄滅。好在哈特隨身攜帶的軍用錄音機還算正常，他立即按下了錄音鍵，那卷錄音帶忠實地記錄了目擊士兵的聲音：「我看到它了……它又返回了……」

UFO發現了這支追蹤隊伍，它由高空盤旋變為直衝飛近，一道耀眼的光芒瞬間從機體發出。目擊者的聲音霎時變得極為恐慌：「它正朝我們飛來……這真的太奇

怪了……它看起來就像一隻朝你眨眼的眼睛……它正朝我們飛來。現在我們看到一束光照向地面……一個不明飛行物仍然盤旋在沃德布里奇基地上空。」

據哈特上校說，這個UFO有著「金屬表面，三角形狀，頂部有閃爍的紅光，底盤下則是一排藍光，當它逼近時，附近農場中的動物變得狂躁不安」。射出強光的UFO並未久留，而是掉轉方向，很快消失在天空。

由懷疑、見證到公開

哈特上校沒想到自己本想拆穿謠言卻意外見證了傳說中的 UFO，由此成了美國軍方歷史上遭遇 UFO 的最高級別軍官之一。他後來提交了一份軍情報告，這份報告一直被送達英國國防部。英國國防情報參謀部對此相當重視，後來經過調查分析，發現UFO降落地的輻射比其他地方高出七倍。

直到此時，英國國防部仍然堅持否認「外星飛碟說」，宣稱沒有任何證據顯示那些所謂的UFO和外星飛碟有瓜葛。十年之後，哈特上校退役，他對那次UFO事件一直守口如瓶。

一九九七年五月二十一日，正在研究蘭德薩姆森林

UFO事件的倫敦作家喬治娜・布魯尼在一個慈善晚宴上和英國前首相柴契爾夫人相遇，布魯尼想知道這位英國前首相是否清楚飛過蘭德薩姆森林上空的那架神秘UFO。柴契爾夫人當時的反應是：「UFO？我們不能將它的真相告訴公眾。」曾在一九九一年到一九九四年擔任英國國防部前「UFO 計畫」負責人的尼克・波普也就此事說：「布魯尼向我披露了柴契爾夫人的評論，她一定知道某種說出來也許會引起公眾恐慌的內幕。」

二〇〇八年，親歷蘭德薩姆森林事件的哈特上校對媒體公開透露了這一真相，這位曾經認為UFO不過是謠言的退役軍官現在與很多UFO研究者都堅持認為，一九八〇年十二月光臨英國蘭德薩姆森林上空的UFO，一定是外星飛碟。

民航班機被跟蹤

三個不明飛行物跟蹤美國客機

一九五九年二月的一天，美國賓夕法尼亞州和俄亥俄州的六架民航飛機正在飛行途中，各架班機機組人員先後目擊了三個排成一隊的不明飛行物，其中一個UFO兩度離開編隊，向飛機靠近。美國航空公司七一三班機的機長彼得・W・基利安看見該不明物體向他飛來，就迅速調頭返航。可是就在此時，該不明物體驟然停止下降，懸浮在離飛機一定的距離之處，彷彿它的目的僅僅在於監視或觀察飛機似的。過了片刻，該不明物體如閃電般地回到了編隊之中。沒過多久，它又突然向飛機衝來。這一次，機長基利安沒有改變航向，沉著鎮定地駕駛著飛機，同時注意著它的動向。從那個物體的輪廓來看，它比基利安的飛機要大，閃著白光。他決定拐彎避開UFO，奇怪的是，此刻這個不明物體又迅速升高，回

到了自己的隊伍裡。

基利安用無線電向美國航空公司的另兩架飛機的機長通報情況，後者回話說，他們也看到了這三個不明飛行物。七一三班機上一位名叫龐卡斯的乘客是一位航空專家，當飛機在底特律機場著陸後，他向新聞記者發表談話說：「當時天空晴朗，我看見了那三個不明飛行物，它們呈圓形，飛行時有嚴格的隊形，我從未見過這種現象。」

另一架飛機的機長和機械師亦向報界證實了此事，九三七和三二一班機的全體乘客也都證明基利安的目擊敘述完全屬實。

秘魯客機被跟蹤

一九六七年二月二日，一架秘魯航空公司的 DC-4 式客機被不明飛行物緊緊跟蹤了三百公里。這架飛機的機長叫奧斯瓦爾多・桑比蒂，當年四十歲。記者採訪他時，他詳細地講述了這次不尋常的空中事件：「二月二日下午六點，我們從皮烏拉起飛，飛往首都利馬。飛行半小時後我們經過奇克拉約上空，當時飛機的高度是兩千公尺。我們在飛機的右側忽然發現了一個發光的物

體，它放射出極其強烈的光芒，外形是個倒置過來的錐體。當時它離飛機有幾公里遠，處在與飛機同樣的高度，而且航速航向都一樣，就像在附近監視我們那樣，與飛機並列飛行。但不久，我看到它以神奇的速度，做著許多奇怪的動作。有幾次，它垂直地升入天空，然後又下降到了先前所在的位置。我讓機組人員密切注意該物，並把這件事報告給全體乘客知道。當時飛機上共有乘客五十二人、機組人員七人。我對他們說，看來這個東西在監視著我們。

「我們剛剛把這件事告訴全體乘客。突然，它調頭朝我們飛來，像離弦的箭一樣從飛機頭上掠過。我注意到，在它飛近時，一直散發著色彩鮮豔的光芒，它的上部是淡藍色光，而下部是紅光，當它稍稍升高，藍光從飛機上方掠過時，就變成了紅光，而紅光則變成了橙光。它底部的形狀像漏斗一樣。我估計，它上部最寬部位的直徑有七十公尺。它從我們上頭掠過後，便在飛機左側飛行，我們之間相距三千公尺。

「當時，我試圖同利馬機場的塔臺取得聯繫。但無線電已經失靈，機艙內的燈光也變得十分微弱。我全力地撥弄著無線電收發機，但還是一點聲音也沒有，那個

不明飛行物就這樣一直跟蹤了我們長達一小時。夜幕降臨時，它突然離去了。

「我走到客艙時，看到不少乘客都嚇得面如土色。有幾個女人簡直快嚇瘋了，還有幾個號啕大哭起來。當那個不明飛行物消失後，我又一次開啟無線電收發機，與利馬機場聯繫，這一次很快就聯繫上了。這時，無線電收發機重新正常起來，燈光也恢復到了以前正常的亮度，但我剛剛與塔臺聯繫上，向地面導航人員報告這件事時，那個飛行物又飛了回來。這一回，還有另一個不明飛行物在它旁邊飛行。它們一同朝我們飛來，體積和外形都一樣。當我向地面塔臺報告說有兩個不明飛行物出現在我們附近時，它們卻在轉瞬之間又一次消失。以後，我就再也沒有看到它們。」

蘇聯軍事基地 UFO 謎案

在冷戰期間，蘇聯發生了一係列與 UFO 有關的神秘事件，如飛碟墜毀、空軍與飛碟的空中混戰、地下分解仿製飛碟等。相傳，蘇聯有一處絕對保密的軍事基地，專門存放墜毀的飛碟殘骸、外星人的屍體以及飛碟上的其他生物，這個基地就是卡普斯京亞爾。

一九四八年六月十九日傍晚，卡普斯京亞爾上空出現異常物體，空中管製員在雷達上也發現了它的蹤跡。同一時間，在距基地十公里的位置，一位正在執勤的飛行員發現，在他的正前方有一個巨大的銀色雪茄狀飛碟。他迅速用無線電通報上級，隨後得到攻擊飛碟的命令。在遭遇不明飛行物大約三分鐘後，該飛行員發射導彈，將目標擊落。隨後，搜索小組便將不明飛行物殘骸秘密運往卡普斯京亞爾軍事基地。

一九六七年八月，另一位米格戰鬥機的試飛員米哈伊洛維奇上校在完成左轉的空中動作時，突然發現正上

方有個光球。這個巨大的光球慢慢變亮，他正準備操縱飛機避開它時，左機翼已經被它發射的光線掃中了。飛機開始抖動，然後左右來回地搖個不停。光球發射的光線太亮了，之後整整一個星期，停在庫房裡的這架飛機的左翼一直都閃著白光。

蘇聯米格戰鬥機與飛碟在卡普斯京亞爾上空遭遇的諸多事件中，最引人注目的就要數蘇聯空軍王牌試飛員波波維奇的親身經歷。她是位女太空人，更是一位民族英雄，算得上是蘇聯空軍王牌中的王牌。一九八〇年，在執行一項絕對保密的軍事飛行任務時，波波維奇在俄羅斯領空看到了三個排成三角隊形的火球，這些火球渾身通亮，浩浩蕩蕩地從她面前飛過。卡普斯京亞爾周邊地區乃至俄羅斯的上空，多次發生離奇的飛碟事件，而且相關的記錄非常詳儘。

按照斯大林的指示，科學家們利用UFO的殘骸來改進蘇聯初具規模的導彈防禦系統和太空計畫，希望借助飛碟的相關技術，在太空軍備競賽中擊敗美國。

根據資料披露，一九五一年蘇聯在核武器研發方面就已經取得重大進展，發射裝置的研發速度比預期提早了五年。

一九五七年，蘇聯率先發射了第一枚人造衛星。一九六一年，蘇聯將太空人加加林送入太空。而這些劃時代的太空技術成果都是在卡普斯京亞爾基地取得的。

二十世紀五〇年代，美國研製出了迄今為止最複雜的間諜設備——U2 高空偵察機。借助 U2 偵察機拍攝的照片，人們才了解到卡普斯京亞爾的一些情況：蘇聯不僅在卡普斯京亞爾測試導彈，而且導彈部隊的訓練也是在這裡完成的。基地至少擁有四個彈道導彈發射平臺，十四個發射臺，一個精確雷達追蹤設備，修建了長長的跑道，還有許多奇怪而「無法辨認」的區域。對此有些研究者認為，蘇聯可能借鑒了古代文明的作法，用奇怪的圖案和標記來吸引天外來客。

顯然，當年美國 U2 偵察機並沒有發現卡普斯京亞爾的全部秘密，這裡的絕密工作至今仍在繼續。

相關連結

什麼是 UFO

UFO 的英文全稱是 Unidentified Flying Object。在中國古代，人們很早就看到過不明飛行物，並且給它

們取名叫「星槎」，字面意思是「天上的船」。UFO
一詞源於二戰時期目擊到的碟形飛行物，雖然 UFO
不全是碟形，也有其他形狀，但是畢竟還沒有任何文
獻數據能夠明確定義飛碟。在飛碟被明確定義之前，
它屬於 UFO。

中國UFO事件

　　神奇的中華大地，自古就吸引了不明飛行物的光臨。我們既有可能在天空中看到它們的身影，也能在史書中發現它們的蹤跡。

古書中記載的「外星人」

中國古代文獻中記載了很多有關外星人光臨地球的事件和情景。最早的是七千年前的賀蘭山岩畫中。在那些記載氏族公社生活的畫面上，可以看到頭戴圓形頭盔、身穿密封太空衣的人，與現代太空人的形象極其相似。最令人驚嘆的是賀蘭山南端、寧夏衝溝東的一幅岩畫，畫面左上方有兩個旋轉的飛碟，飛碟開口處，一個身穿「太空衣」的人正飄然而下，地面上的動物和人群在驚恐地逃散。這可能是外星人在賀蘭山一帶出現時的生動寫照。

據《拾遺記》記載：四千年前的堯帝時代，一個巨大的船形飛行物飄浮在西海上空。船體亮光閃爍，緩緩飄移，船上的人戴冠，全身長滿白色的羽毛，無翅而能在高空翱翔。

東晉干寶的《搜神記》中，還記載著一件與火星人接觸的故事。在三國時期的吳國，在一群玩耍的小孩子

中出現一個長相怪異的孩子，他身高一百二十公分，身穿藍衣，兩眼閃著銳利的光芒。孩子們因從來沒有見過他，紛紛圍上來問長問短。藍衣孩子說：「我不是地球人，而是一個火星人。看你們玩得開心，所以下來看看你們。」還說：「三國鼎立的局面不會太長久，將來天下要歸司馬氏。」孩子們聽到這一消息都嚇壞了，一個孩子飛快地去報告大人。當大人趕來時，火星人說了聲「再見」，便立即縮身跳到空中。大家抬頭看時，只見一塊白色的絹布拖著長長的帶子，正疾速地向高空飛去。當時誰也不敢將此事張揚出去，過了四年，蜀國滅亡。又過了十七年，吳國也滅亡了。三國分裂混戰的局面結束，由司馬氏統一了中國，這證實了火星人的預言。不管上述記載是否客觀，古人確有可能曾經見過一些異於地球人的人。

《宋史·五行誌》記載，宋乾道六年，西安官塘出現了一個雞首人身的怪物，高約丈餘，大白天從高空中降落下來，在田野上行走，還試圖與人交談。有關專家認為，這可能是個戴著雞形頭盔的外星人。

《五行誌》還記載有清康熙十二年三月發生的一件追捕外星人的事。當時有人看到一個黑面人在空中飛

馳，身上紅光閃閃，熠熠生輝，像是在空中放火的樣子。當官府捕快聞訊趕來時，那人卻忽然不見了蹤影。

《清史稿・災異誌》則載有一例極似當今外星人擄人的事例。在清雍正三年七月，靈川五都廖家塘有一村民與眾人上山砍竹，忽然在眾目睽睽之下失蹤了，一百四十多天之後又莫名其妙地在家中出現，但是說話已語無倫次、怪誕不經。

「空中怪車」突襲貴陽

四百畝松樹被攔腰截斷

一九九四年十二月一日凌晨三點，貴陽市北郊十八公里處的都溪林場附近的居民從睡夢中被驚醒。林場刮起了大風，轟隆隆的，響聲震天，有發出紅色和綠色強光的不明物體呼嘯而過。林場猶如受到「空中怪車」的襲擊。

幾分鐘過後，都溪林場馬家塘林區方圓四百多畝的松樹林統統被攔腰截斷，在一條長約三千公尺、寬一百五十到三百公尺的帶狀區域裡，只留下一‧五到四公尺高的樹樁，折斷的樹幹與樹冠大多都向西傾倒，被截斷離開樹身的粗大樹幹整齊地排列在林場上。和都溪林場相距五公里的都拉營貴州鐵道部車輛廠也同時遭到嚴重破壞，車輛廠區房頂的玻璃鋼瓦被吸走，廠區磚砌圍牆被推倒，五十噸重的火車車廂位移了二十多公尺遠。在

車輛廠執行夜間巡邏任務的廠區保衛人員被風捲起數公尺，並在空中移動二十多公尺後落下，且無任何損傷。這次事件沒有任何的人畜傷亡，高壓輸電線、電話、電纜線等均完好無事。

各地的專家學者紛紛來都溪林場考察研究，並利用了現代化的先進儀器如衛星定位儀，測定了被毀的具體位置及面積。對於貴州車輛廠被破壞嚴重的地方及對象進行了時頻、弱刺及伽瑪射線的測試，對都溪林場實地進行了監測分析。專家們表示，造成這一事件的原因無非是「下擊暴流」或「陸龍捲」等自然現象。

雷雨冰雹惹的禍

「下擊暴流」現象是由雷暴引起的一種強烈的下沉運動。這種下沉運動可以在地面附近形成一個非常大的向外擴散的水平風。雷雨、冰雹是誘發「下擊暴流」現象的主要原因，這是經過當時氣象學專家實地考察得出的結論，也與當時貴州的氣象條件相符。

但是，據現場一位勘察者描述，現場的落葉層沒有被吹動的跡象。而「下擊暴流」產生的輻射風吹到地面，樹木倒地的形狀應該是向四周輻射倒地的，這與現

場情況有所出入。

龍　捲　風

由於推理與現場情況有出入，專家們認為陸龍捲的可能性很大。根據現場察看，樹木和車輛廠區頂棚，甚至火車都出現了不同程度的損壞和位移。

陸龍捲是龍捲風的一種，龍捲風是風力極強而作用範圍不大的旋風，氣象學上一般根據龍捲風形成的環境，將之分為陸龍捲和水龍捲。中國科學院大氣物理研究員高登義說：「不管是哪種龍捲風，它都呈漏斗狀，上大下小，吸引力特別強。從林場樹木的斷口來看，現場的確有一些樹是被一種極強的旋轉力就像擰麻花那樣給擰斷的，符合龍捲風的特徵。」

被「空中怪車」襲擊後整齊的樹樁

對於此觀點，UFO研究協會現任理事王煥良卻提出了不同的看法。他認為依據當時現場狀況，不太可能是

龍捲風造成的，更不能用陸龍捲的現象來解釋。王煥良說：「龍捲風所造成的破壞軌跡應該呈旋轉帶狀，而依據我們現場看到的地面上留下的破壞痕跡，很多是跳躍狀的。」

而當時貴州氣象局的數據顯示，當時都溪林場並沒有觀測到龍捲風的記錄，在貴州歷史上也沒有出現過陸龍捲現象，因為貴州地處高原地帶，一般的陸龍捲不會出現在這個地區，通常應該出現在比較低的、臨海的平原低地。

對於王煥良提出的質疑，高登義解釋道：「龍捲風的移動方向是變化的，貴州山區地形起伏，因此龍捲風也會忽高忽低，在地面上留下深淺不一、方向不定的痕跡。目前對龍捲風的研究在中國還幾乎是一個空白，山區發生的陸龍捲現象更是很少被觀測到。這樣的事情在美國等發達國家相關報導較多，由於我們了解的很少，因此對這樣的現象感到新奇。」

科技人員目睹的 UFO

如果以UFO目擊者文化素養的高低來證實目擊報告的真偽，那麼，下面這一則案例的可信度就很高了。

在青海發現的長筒圓柱形飛行物

一九八一年七月二十四日晚上十點三十分，在青海省大柴旦鎮考察青藏高原自然景觀的中國和前聯邦德國的聯合考察隊在觀測天氣時，德國氣象學家特洛尼亞博士和中國科學院蘭州冰川凍土研究所的研究員李烈，看到了一個發光體。這個發光體呈長筒圓柱狀，長十五公尺以上，筒的兩端噴射著強烈的光束，光束可見長度約兩百多公尺。整個飛行物體被光包圍著，從飛行物被發現到消失的過程長達十五分鐘之久。

喀拉麥里山上空的火球

特別應該提到的是新疆地質考察隊隊員趙子允的目

擊報告。趙子允曾二十多次到天山南北考察地質，在野外看見過衛星、原子彈和氫彈爆炸、導彈飛行、二級火箭和三級火箭的脫落自爆及點燃、民航機及戰鬥機的飛行。但他說，這些現象都和他在一九六五年八月的一天夜晚，在新疆奇臺縣喀拉麥里山以南見到的UFO截然不同。

那天十點三十分左右，趙子允忽然看見一個發著藍光的火球由西向東緩慢飛來。當它飛到喀拉麥里山上空時，呈彈道拋物線往下降落，落到地面時彈起一百多公尺高，後來又落下，騰起一片火海，照亮了大片夜空。他們立即測定火球落下的方位，並認為是人造衛星濺落地面時引起的大火。第二天天亮，趙子允和電報員李太謙按測定的方位追尋，但尋至二十公里以外也未發現有衛星濺落的痕跡。當地部隊接到他們的報告後，在附近大面積範圍內仔細搜尋，同樣沒有發現異常情況。值得慶幸的是，他們在喀拉麥里山採集到的天然重砂中淘洗出了天外來物——宇宙塵埃，這是由具有二十多年鑑定經驗的專家經過嚴格的化驗以後得出的結論，只是不知道這是否與「火球降落」有關。

新疆喀納斯上空的不明飛行物

二〇〇五年十二月初，中國科學院南京紫金山天文臺研究員、UFO研究專家王思潮向新華社記者通報，根據他對二〇〇五年九月八日在新疆上空出現的不明飛行物的分析與研究，「基本上可以確定該飛行物不是人類的傑作，可能與地外文明有關」。

不明飛行物現身

王思潮描述說，九月八日晚上九點十八分，在新疆喀納斯地區約兩百公里高度的上空出現了不明飛行物。它一邊向西北方向飛行，一邊向五個不同方向噴射物質。過了一會兒，飛行物停止了噴射，成為一個螺旋狀的發光物，向正北方向飛行，然後消失在茫茫夜空中。整個過程持續了三分多鐘。王思潮說：「同一飛行物既向不同方向噴射物質，又呈現為螺旋狀發光物，這在以前還是沒有過的。」

它不是彗星

這一消息在社會上引起了激烈的爭論。出現在新疆上空的到底是什麼？外星人光臨地球了嗎？有人認為是彗星，也有人說可能是人類駕駛的飛行器。

王思潮介紹說，起初他也懷疑是彗星，但經過認真觀察比較後，排除了這種可能。如果有如此亮的彗星接近地球，天文學家應該早就發現了，而且彗星移動的軌跡相對來說要緩慢得多。他同時也否認了人類駕駛飛行物的可能。飛機的飛行高度通常在十公里左右，噴射的煙霧通常只有一條，煙霧即使有分叉，角度也很小，而且噴射出來的煙霧通常要在大氣層中停留較長時間。而該飛行物的高度為兩百公里，噴射物的角度有八十度，而且是朝著五個不同的方向，一會兒就消失不見了。因此，他認為，基本上可以確定該飛行物不是人類的傑作，可能與地外文明有關。

外星人不可能到達地球嗎

國內眾多媒體跟蹤報導了這一事件。可是令人感到意外的是，許多主流學術界人士都對這一結論持懷疑態

度，有的更是直接表示反對。但是在網絡評論中，支持王思潮的觀點則占據了明顯的上風。

王思潮認為，他的觀點在學術界幾乎得不到響應的一個重要原因是，很多科學家都認為外星人幾乎不可能抵達地球。

對於除人類之外，宇宙中是否還存在其他文明，目前在科學界沒有太多爭議。來自上海天文臺的傅承啟研究員說：「生命的演化總是遵循從簡單到複雜、從低等到高等的規律，而宇宙已經演化了一百多億年，從邏輯上說，人類在宇宙中不應該是唯一的。」國內另一位著名天文學家、來自國家天文臺的李競研究員也認同這一觀點。

在外星人是否能夠透過星際旅行抵達地球這一問題上，王思潮的觀點與其他幾位專家有很大分歧。北京天文館朱進博士說：「外星人肯定存在，但基本上也可以認為，它們不可能來地球。」傅承啟與李競均表示「它們幾乎不可能抵達地球」。幾位專家的主要依據是：恆星間的距離過於廣闊，另外根據相對論，有靜止質量的物體運行速度不可能達到或者超過光速。

王思潮則認為，智慧生命不用越過相對論也可以實

現星際旅行。由於站在現代地球人的立場上看問題，才會有外星人不可能抵達地球的觀點，但是外星人的技術完全可能比目前地球人類的技術先進百年千年，甚至上萬年。

李競研究員認為，與國際知名的 SETI(「在家尋找外星人」)計畫相比，現在國內研究 UFO 的大多都是業餘愛好者。SETI計畫的依據是：外星文明在宇宙中普遍存在，他們很可能用電磁波等方式跟其他星球的文明聯繫。因此，他們在最大範圍內尋找來自宇宙中各個方向的電磁波。而業餘愛好者尋找外星人的前提則是：它們已經到了地球。

「然而，尋找外星文明發來的信號這一行動已經努力了幾十年，至今仍然沒有尋找到來自外星文明的任何信號。」傅承啟研究員認為，「這也成為外星人幾乎不可能已經抵達地球的一個有力依據。」

天池邊拍到的 UFO

老照片上的 UFO

二○○七年八月，身為南京某銀行客戶經理的魏寧強先生攜全家前往新疆旅遊，在美麗的新疆天山天池邊，魏先生用相機記錄下了很多美麗的瞬間。一年多以後，魏先生在諸多風景照中發現了一張特別的照片——這張照片上有 UFO 的身影。

於是魏先生與某晚報的記者聯繫，稱前段時間他剛給電腦換了一個液晶螢幕，在家中無意間翻看老照片時，突然發現在天池拍的一張照片上竟有個黑糊糊的橢圓狀東西，讀高中的兒子告訴他，這是 UFO。

UFO 周圍有白煙

記者看到魏先生拍到的照片時，發現在這張照片的左上角有一處有別於青山的陰影，陰影很小，有些逆

光，放大之後發現在陰影的四周還有白顏色的像雲一樣的白煙。但是在陰影的周圍並沒有明顯的雲層。如果不仔細看，還以為這個陰影只是數位照片中常見的鏡頭前的灰塵。為了弄清真相，記者帶魏先生採訪了紫金山天文臺專家王思潮研究員。

前後兩張照片均未見 UFO

王思潮研究員在電腦上檢查照片的屬性，發現這張拍到不明飛行物照片的拍攝時間，是二〇〇七年八月九日下午一點〇分三十四秒，快門速度是一百六十分之一秒，而前一張十二點五十九分五十秒的照片和後一張一點一分二秒的照片都沒有拍到不明飛行物。據魏先生自己說，他當時拍照的時候也沒有發現，是前兩天又瀏覽照片才發現的，而照片已經存在電腦裡一年多了。王研究員表示，這個照片不是假的，時隔一年，完全沒有造假的必要，應該說是非常巧合下拍到的。

可能是自然現象

王思潮研究員在仔細詢問了魏先生當時拍照的時間和光照後表示，這張照片拍到的不明飛行物應該不是人

類已知的飛行器。首先，它不可能是飛機，飛機飛行時會產生巨大的轟鳴聲，魏先生不可能聽不見。而且這張照片和前後兩張照片間隔的時間僅幾十秒，如果是人類的某種飛行器，那應該不止一張照片能拍攝到它。第二，它也不可能是某種飛行動物，道理同上。那麼排除這些之後，就可能會是一些天文或者氣象等自然現象了，或者就是傳說中的 UFO。

 **相關連結**

詩人也看到了 UFO

一九七七年七月二十六日晚上，著名詩人流沙河正在翻譯詩文，忽聽堂妹呼喚他去戶外看空中一個不明飛行物體。他急忙跑出去，遠遠地看見西北方的天空中有一條發光的螺旋形的煙霧，其形狀好像一盤蚊香，中心是一個亮點，煙霧自中心亮點向外作螺旋線引出，約三圈後緩緩向西北方向飛去。當時正在成都出差的雲南天文臺的張周生也看到了這一奇景。

雪藏十七年的錄音

UFO 與航班捉迷藏

一九九一年三月十八日晚上六點十三分至二十八分，由上海飛往濟南的三五五六航班飛機在空中突然遇到一個火球狀的UFO。緊接著，那個火球變成一溜火球井然排列，飛行員剛一恍神，火球發出的紅光又急速轉為黑色，分離成圓形和長方形兩個小型不明飛行器。

三五五六航班飛行員察覺到情況不妙，立即保持高度戒備。兩個小型不明飛行器開始在距飛機不遠處時上時下，或近或遠地飛旋，飛行員為了避免與其相撞，祇得多次改變航向，三個飛行物體如同玩起了捉迷藏。此時，飛機已到達蘇州上空，兩架小型飛行器突然掉頭，筆直地朝飛機高速飛來。就在快要接近飛機時，二者又突然合二為一，急速攀高，轉頭飛遠。

三五五六航班飛行員冒出一頭冷汗。他與地面進行

聯絡的那段通話內容被上海虹橋機場的塔臺錄音保存下來。這段十多分鐘的塔臺與客機錄音雪藏十七年後，在二〇〇八年六月舉行的「重大UFO事件學術討論會」上終得「面世」。

十七年後現場錄音被公諸於世

塔臺錄音雖然長達恍神多分鐘，但聲音不清楚，感覺比較嘈雜。

下午六點十二分，不明飛行物出現在飛機背後，一分鐘後飛行員開始呼叫：「現在在我前方有一個判斷不太清楚的物體，有二到三公尺那個樣子，火球似的，往北飛。」

下午六點十五分，火球加速飛行，飛行員呼叫：「有一顆火球，現在隱隱約約能夠看到，大約長度有五到六公尺的樣子。拉了一溜往前跑，跑得挺快。」

下午六點十七分，三五五六航班飛到了江蘇昆山上空：「那個物體剛才是紅的，像火球一樣，現在又變成黑色的，好像一個什麼東西在拉煙，跟一條大魚似的在那裡。」虹橋機場的地面調度回答：「三五五六，你看它會不會是太陽反光？」飛行員：「不是的，絕對是個

東西在飛。」

　　下午六點十八分，飛機臨近蘇州上空時，不明飛行物突然改變方向，並直接飛向飛機。雖然速度比前面要慢，三五五六航班卻只能改變方向，向西躲避飛行。一分鐘後，飛行員說：「它還在我的右前方，速度比較慢，沒有剛才往北飛的時候快。」漸漸地，不明飛行物開始變得模糊了。

　　下午六點二十一分，飛行員的聲音又響起：「剛才看到的火球，現在還能夠看到，它分離成兩個，下面一個，上面一個，兩個的高度差大約有兩百公尺，兩個黑黑的物體，不知道是什麼東西。」

　　此後飛行員與地面調度又進行了一次較為完整的描述：「剛才正常起飛之後，大約飛行了十三公里，我航向在兩百八十度，發現前方有一個不明飛行物，長度三到五公尺，好像一團火，通紅通紅的。它也往東北飛，離我越來越遠，飛得比較快。我到四十公里左右時，它又從北折頭往東南邊六百度航向變成一百度航向，往南飛，高度降低，我就往西躲一下，它又折頭往北飛，飛著飛著由紅變成一溜黑的了。變成黑體以後，下降高度，又上升分離成兩部分，下邊一個長方形的，上邊一

青少年必讀百科探索叢書

個圓球，一齊再往東北飛……」地面調度問道：「你們要不要返航？」飛行員說：「不要返航，它對我沒有影響，現在已經消失，我看不到它了。」

但是，到了下午六點二十六分，飛行員再度呼叫：「它又出現了，但是它們兩個又合成一個圓的了。」這次呼叫之後，不明飛行物即改向西北飛，並迅速向上攀升，隨後就消失了。

三種不同的觀點

這次出現的不明飛行物究竟為何物，「重大UFO事件學術討論會」上的三位參會人員持不同見解。

中國科學院南京紫金山天文臺的研究員王思潮是目前中國最早研究 UFO 的天文學家，被稱為「中國 UFO 第一人」。他的觀點是，從被披露的當時虹橋機場塔臺調度與三五五六航班飛行員的對話錄音可以發現，這次出現的不明飛行物不僅可以避開雷達的探測，還可以靜懸在離機場不遠的半空中長達七分鐘之久，地面上根本聽不到絲毫聲音。它的運動速度和方向可以隨著與三五五六航班距離的遠近而快速變化，最後還能「爬高」，急速升空。這些「超能力」都不是人類飛行器可以具備

的。所以他認為「3・18UFO」是外星飛行器的可能性不能排除。

　　企業職員、UFO 愛好者章雲華對此表示反對，他說：「連天文學家看星星都能出現幻覺，那麼當天出現的我認為就是飛機。地面上看到的『3・18UFO』，就是剛剛升空的小型客機，光滑機身因陽光反射被目擊者看到，不同方位的人就能看出它不同的形態。當時這架三五五六航班小型客機的正前方還有兩架飛機，它們三點連成一線，前面兩架疊合在一起飛行並反射太陽光，使三五五六航班的飛行員誤以為是一個物體。」

　　上海UFO研究中心專家吳嘉祿則持有另一種觀點，他認為「3・18UFO」的奇異特性，很難用目前的科學理論解釋清楚。但沒有證據可以證明，這是從外星來的或是由外星人操控的。它有可能是我們還未掌握的某種自然現象所造成的不明飛行現象。

　　對於當天會議上出現的這幾種不同看法，王思潮坦言人們現在對於UFO一直有爭議，這也是很正常的。以現階段的科學研究水準來說，研究 UFO 還是比較困難的。UFO經常突然出現，又很快消失，人們拿不出來足夠的證據說服人。另外，很多人沒有經過嚴格的研究調

青少年必讀百科探索叢書

查就發布消息，之後又被相關部門推翻，如此一來，人們就不太會輕易相信這方面的消息了。而且，人類對於事物認知是有一個過程的，比如古時候，人們不相信天上會掉石頭，但隨著科學的發展，隕石現在已經成為大家共識的東西。

　　還有一些學者提出質疑，理由是除太陽外，離地球最近的一顆恆星也在四·二二光年之外，這麼遠的距離，外星人根本無法到達地球。基於這種認識，外星人、UFO怎麼可能出現在地球人的視線當中？對此，王思潮的觀點也比較新穎，他認為太陽系以外的智慧生命離地球太遙遠，人類是以現有的科技水準去想像外星智慧生命，而實際上他們的科技水準很有可能遠高於人類。「他們根本用不著自己駕駛，可以派高智能機器人駕駛飛行器來地球」。王思潮還做了個對比，外星人與地球人相比，就如現今人類與山頂洞人相比。而如此懸殊的智慧與文明，怎麼可能由弱勢一方預測和解釋各種奇異現象呢？

飛碟綁架了農民

中國第一部紀傳體斷代史《漢書》的作者，東漢史學家班固，還有另一本傳世的著作《天文誌》。在《天文誌》中記載的不明飛行物事件多達上千件，疑似飛碟綁架事件也有記錄。

不過，由於古代民智未開，科學不發達，常常將我們當代人所稱的UFO、外星人與靈異鬼神聯繫在一起。因此，後人很難透過古代人留下的文字推斷出事情的原貌，常常會引發眾多爭議。在中國正史上記載的有關飛碟的事件中，比較具有代表性的是湖北松滋「覃姓農民」的遭遇。

據湖北松滋縣誌記載，清朝光緒年間，松滋縣有個叫西岩嘴的地方。一個姓覃的農民清早去屋後的山林裡散步，沒走多遠，一個形狀怪異的物體便出現在他眼前。這個物體通身發出五顏六色的光芒，當他跑上前想看個究竟時，那物體忽然發出一道耀眼的光芒。覃姓農

民忽然感覺耳邊傳來了呼呼的風聲，原來他已經被捲到空中，並且身體像被禁錮一般動彈不得。就在他不知所措時，又被一股強大的力量推了一把，從天上掉下來，摔落到一座高山上。令人驚奇的是，他竟然安然無恙。

覃姓農民正趴在地上瑟瑟發抖時，山上過來了一位砍柴的樵夫。樵夫問他從什麼地方來，為什麼趴在地上，他說自己是湖北省松滋人。樵夫詫異地問道：「這裡是貴州，你大老遠地跑這里來做什麼？」後來經樵夫指引，覃姓農民一路沿途乞討，走了十八天才回到了家裡。

湖北省松滋縣發生這起「飛碟綁架事件」時，世界上第一架載人飛行物還未誕生。現在的科學家推測，飛碟裡的「外星人」對覃姓農民並沒有惡意，是因為農民好奇想要靠近它，所以才被外星人帶到千里之外以示懲戒。為了使他從高空落地時不受傷，外星人或許運用了某種超能力對他進行了保護。

除此之外，還有一種推測：當覃氏看見飛碟時，飛碟正處於起飛的狀態，他恰好撲上去，於是就被飛碟帶走了。當飛行數百公里後，外星人發現飛碟上有人類，於是將其放下。

根據現在的科學技術，一架噴氣式飛機飛行五六百公里大約需要四五十分鐘，而覃姓農民似乎用了一會兒的工夫就到了。覃氏回家用了十八天，按照正常人每天步行三四十公里的速度也是非常合理的。那麼，在人類尚未發明飛機時，又是什麼物體用如此快的速度瞬間飛越數百公里呢？

對正史中這則UFO綁架事件的記錄，有各種各樣的解釋，這些解釋中很多是以承認覃氏確實遇見了外星飛船為前提的。我們越來越相信，飛碟和外星人離我們並不遙遠。

飛行員與 UFO 的空中相遇

一九八二年六月十八日，中國華北北部，正在進行夜航訓練的七名飛行員和參加飛行演練的全體幹部、戰士兩百多人，分別在空中和地面目擊了不明飛行物，其中一名飛行員在空中與之單機相遇。據這名飛行員觀察，不明飛行物於北京時間晚上十點六分左右，以光束和橘黃色的球狀體的形態出現在地平線，幾經發展變化後，於十點三十分以巨大的乳白色半圓體的形態消失在河北省張北縣以北的天空。

單機相遇

這天晚上，空軍航空兵某部組織跨晝夜飛行訓練。當時，西北風二到三公尺／秒，三千到四千公尺上空有少量淡積雲，能見度良好。起飛後不久，西北風轉東南風五到六公尺／秒，飛行科目按計畫進行。

最早發現這個不明飛行物並與其相遇的，是飛行員

劉某。晚上九點五十五分，他駕駛某型高速殲擊機航行，由於這個不明飛行物向他的航跡飛行，導致無線電聯絡和無線電羅盤失靈，迫使他中途返航。據他本人陳述，他起飛後，氣候條件良好，飛行正常。晚上十點四分五十秒，從公會轉彎向土木爾臺飛行三分鐘後，耳朵裡出現噪音，如同積雨雲放雷電，塔臺指揮員的聲音變小變弱，無線電羅盤失靈。十點六分五十秒，在無線電羅盤指示的方位上，發現地平在線一個明亮的物體似出非出，很快形成一道橘黃色的光束，逐漸上升變亮，持續約三十秒鐘，光束消失，遂出現一個橘黃色的球狀體，如同農曆十五的月亮。十秒鐘後，這個球體向他高速旋轉而來，在旋轉過程中產生出一圈一圈的光環，呈波紋狀，能夠明顯地分辨出橘黃、淺綠和乳白三種光色。光環的中心還呈現出火焰，像點燃的火藥。約十秒鐘後，光環中心的橘黃體發生了像手榴彈爆炸一樣的變化，繼而出現了一個半圓狀體。這個半圓狀體急劇膨脹，迅速擴展，瞬間鋪天蓋地懸浮在空中。整個物體呈乳白色，中間深，周圍淺，邊沿清晰明亮，底部模糊。右下方有一條不規則的豎長形，約兩公尺長，顏色近似於綠色，十分明顯，飛行員在七千公尺的高度上略微仰

視才能看到頂端。為了避開這個物體，他上升至一萬公尺的高度，依然未能奏效。靠近土木爾臺時他被迫返航。返航飛行五分鐘後，物體中那個豎著的長條形突然消失，消失的位置馬上出現空白，緊接著幾塊不規則的黑影從機旁掠過。約十秒鐘後，那個消失的長形塊又在原來的空白位置上出現。當飛機飛抵離機場四十公里時，無線電羅盤指示和無線電聯絡恢復正常，最後安全著陸。

目擊者衆

在劉某與不明飛行物相遇的過程中，空中另外四架飛機(其中兩架是教練機)上的六名飛行員也分別在張北和懷安等地上空目擊不明飛行物，無線電聯絡也都不同程度地受到干擾。由於他們飛行科目與劉某不同，不允許分散精力，因而未能看到不明飛行物發展變化的全過程。

據機場地面的目擊者陳某說，晚上十點十分，一個形似「鬧鐘罩」的乳白色物體，在張北以北上空出現。很快，這個物體就像氣球充氣一樣，有節奏地、波浪式地向周圍遞增擴展，擴展的速度比氫彈爆炸時升起的蘑

菇雲還要迅速猛烈，一會兒的工夫就像一座大雪山矗立在空中，仰視才能看到頂端。整個物體呈乳白色，且有光澤，邊緣清晰明亮。肉眼觀察，空中面積西起張北，東至崇禮，距離在十五公里以外。後來整個物體由濃變淡，透光，十點三十分基本上就消失了。

　　空中另外四架飛機上的六名飛行員以及數百位地面人員，目擊的情形與飛行員劉某描述的目擊時間、形狀、光色、運動情況、可見條件等基本吻合。

接觸外星人

外星人是與我們友好相處，還是對我們充滿敵意？外星人會拿人類做實驗，還是治癒人類的疾病？這個疑問，只有當我們與外星人真正接觸後，才會有答案。

河北飛人事件

神秘人背負村民飛行

一九七七年，在河北省肥鄉縣發生了震驚冀南大地的神秘事件。該縣北高鄉北高村二十一歲的村民黃延秋，先後三次在夜晚神秘失蹤。第一次黃延秋晚上八、九點在家中睡覺，午夜一點左右，不知何故出現在約一千公里外的南京一家大商店門前，又被兩名神秘交警買票送上開往上海的火車……

第二次是晚上九點左右，本來睡在院子裡的黃延秋，半夜一覺醒來，卻出現在約一千二百公里外的上海火車站廣場，又是兩個穿著軍裝的神秘人物先後指點他乘船、乘車，最後送他進入一個有他的親戚在其中做軍官的軍營中……

第三次最神奇，仍是在夜晚，黃延秋剛出生產隊長家門，就眩暈倒地，失去知覺。午夜醒來時，他竟出現

在蘭州一家旅館中。兩位據說叫高登民、高延津的二十幾歲的山東人，自稱是黃延秋三次失蹤事件的安排者。高登民、高延津用九天時間，不借助任何飛行器，先後背負黃延秋從蘭州飛往北京，接著又飛往天津、哈爾濱、長春、瀋陽、福州、南京、西安，最後又回到蘭州。他們總是在白天休息，夜晚飛行。在終點站蘭州，他們將黃延秋以未知的方式送回了河北肥鄉縣北高村的家中。黃延秋的三次神秘失蹤及他自述被兩位神秘人背負著，以高於當時列車二十到四十倍的速度飛往九個省城及直轄市的事件，轟動了當地。同年年底，肥鄉縣公安局、宣傳部、武裝部聯合寫了一個報告，上報給邯鄲地委。

上海原部隊領導呂慶堂的調查報告

時間：一九九二年十一月十九日下午一到二點、一九九五年五月十七日下午四到五點

地點：上海市浦東東昌路東園一村一百三十八號四○八室呂慶堂家

調查人：林起(中國農業工程研究設計院高工)

被調查人：呂慶堂，原上海浦東高炮三師後勤部部

長，已退休。

　　記錄：(呂慶堂說)我只見過黃延秋一次，那是他第一次來高炮師部隊軍營的時候。他在我家住了一個晚上，我和他談過話，覺得他是個非常憨厚的農民，問他話時，他才回答幾句。黃第一次來我家的經過是這樣的：我用部隊小車，派了後勤部副部長盧俊喜、黃延秋的表哥黃延明以及他們的遠親錢郝一起，去上海市蒙自路收容站領出黃延秋。把他接到我家後，煮了一斤掛麵給他吃。第二天，就派盧俊喜副部長和幹事王惠恩送他坐火車回老家了。

　　黃延秋第二次來我家是他自己一人找到我家的。當時我在南京開會，是我老伴和兒子呂海山接待的。兒子給他煮了一斤掛麵，我老伴請後勤部副部長盧俊喜打電話到南京向我請示，我電話中決定派車送黃延秋上火車，叫盧俊喜和我兒子第二天給他買火車票和點心，然後送他上火車，我還叫副部長訓了他一頓。第二天派了車，由兒子海山送黃延秋到火車上，給他買了吃的，還給他零用錢，直看到火車開後才回家。

呂慶堂的疑問

呂慶堂還有一些疑問，他說：「對黃延秋第二次來我家這事我很奇怪。他第一次來我家，是我派吉普車從上海收容所把他直接接過來的，他根本無法清楚記住行車路線。第二次，他自己從家鄉來，到上海火車站(北站)後要坐公共汽車到外灘，然後坐船過江，再乘公共汽車到高橋，再換乘高橋的公共汽車到陸家堰下車，才能找到我的部隊，他是不可能知道這麼複雜的路線的。」

更奇怪的是，呂慶堂住在部隊裡，部隊的管理非常嚴格，陌生人根本不可能隨意進入。而詢問過守衛和傳達室的人後，他們都表示沒有看見黃延秋進去。那他究竟是怎麼避開守衛和傳達室進去的呢？還有一個讓人百思不得其解的問題是，黃延秋第二次從家鄉到上海，只用了一天多的時間，以當時的交通水準，這幾乎是不可能達到的速度。

失落的時間

失去四十分鐘記憶的小大衛

加拿大人大衛・西沃爾特家住阿爾伯塔省的加爾加里，一九六七年十一月十九日下午五點四十五分，十四歲的小大衛從他的同學家出來，再走幾分鐘就可以到家了。他在田野上慢慢走著，欣賞著深秋時節的美景。

突然，小大衛聽到一聲刺耳的聲音，他不由自主地轉過身來，看到一個銀灰色的物體在空中飛行，四周放射出時閃時滅的五顏六色的光芒。小大衛驚恐萬分，撒腿就跑，他覺得那東西一直在他上方飛行，他衝進家門，飛快地跑上樓。他的姐姐安琪拉也跟著上了樓，發現小大衛正戰戰兢兢地蹲在床後面。

安琪拉連忙拉住他問：「大衛，你到底是怎麼回事？為什麼這麼晚了才回到家裡？」大衛睜大了雙眼，目光恐懼不安，終於結結巴巴地對姐姐說：「我……被

一個飛碟跟上了！」說罷，他開始向姐姐講述飛碟出現的情況，他覺得前後只不過經歷了一兩分鐘罷了。然而小大衛回到家已是下午六點三十分了，也就是說，距他離開同學家已經過去了四十五分鐘。平時走完這段路也就只需幾分鐘，今天發現飛碟後是飛跑著回家的，怎麼用了這麼長的時間？那多出來的四十分鐘在幹什麼呢？小大衛胡塗了，對這四十分鐘他完全失去了記憶。

自從出了這事之後，大衛一直心神不寧。他的父母對此深感憂慮，於是請求不明飛行物專家威廉・K・阿倫幫助大衛，但阿倫先生並未能使小大衛回憶起那四十分鐘的事。

幾個月過去了，到了一九六八年四月的一天夜裡，大衛一連做了兩個噩夢，醒來後忽然記起五個月前曾被帶到不明飛行物上，接受了各種各樣的醫學檢查，他覺得飛行器上的成員像魔鬼一樣。他激動得再也無法入睡，大衛的父母又去請阿倫先生給予幫助。阿倫先生意識到事情的嚴重性，於是請來一位精通催眠術的K大夫為大衛進行催眠。

K大夫與心理學家M大夫一起對小大衛進行催眠，在K大夫的提示下，處於催眠狀態的大衛終於回憶出了

他的奇異經歷。

K：大衛，我希望你的思路回到去年十一月十九日那一天去。回去了嗎？……很好。請告訴我，當時發生了什麼事情？

大衛：那個物體向我射來一束光。

K：什麼顏色的？

大衛：橙色的光。

K：這束光抓住了你的胳膊，還是抓住了你整個身軀？

大衛：它把我抓進了飛碟裡。

K：你害怕嗎？

大衛：我感到恐懼，因為我看到了一個魔鬼。

M：請你說一說這個魔鬼。

大衛：他有著栗色的魚鱗狀皮膚(像鱷魚皮)，鼻子和耳朵的部位都是洞，嘴是一道縫。

M：一共幾個人？

大衛：四個人。

K：他們對你做了些什麼？

大衛：他們發出了聲音(大衛發出了一種聲音，很像蜂房裡一群蜜蜂發出的聲音，或是高壓電流發出的聲

響)。然後，他們把我抬到了一張小床上面。他們俯下身來，仔細地檢查我的身體。現在，他們把我抬到了另一張小床上。

K：很好，大衛，現在又發生了什麼？

大衛：他們抬著我，穿過一個走廊，來到另一個房間裡。

M：這個房間是什麼樣的？

大衛：裡面有各式各樣閃閃發光的燈。那裡有一張桌子，他們把我放在上面。

M：好，你現在躺在這張桌子上，發生了什麼？

（大衛猶豫起來，他的呼吸聲很響，好像對回憶這段經歷感到恐懼，M大夫安慰了很長一段時間，大衛才又講起來。）

大衛：他們把另一樣東西扔到我身上。

M：什麼東西？它像什麼東西？

大衛：它是個灰色的東西，他們把它扔到我身上，然後用一個巨大的橙色燈照射著我。後來，這兩個東西中的一個顯出針形。

M：這根針是什麼樣的？

大衛：它不大，是灰色的，它把針扎進了我的胳膊。

M：你在這間房子裡一直很清醒嗎？

大衛：是的。

M：他們有沒有給你吃的或喝的東西？

大衛：沒有。我戰戰兢兢，全身麻木。

K：現在怎麼樣了？

大衛：我們穿過一間放有電腦的房間，來到一個走廊裡，橙色光再一次照射在我身上。現在我躺在地上，聽到了宇宙飛船刺耳的聲音。

K：刺耳？你可以聽到嗎？

大衛：可以。

K：既然你聽到了，大概也能模仿吧？

（大衛發出了一聲極刺耳的聲音，像草做的哨子發出的聲音。）

K：有這麼響？

大衛：是的。

M：現在你在做什麼？

大衛：我向家裡跑去，他們好像在後面尾隨著我，於是我跑得更快了。我跑進家時，那個飛碟突然升起，轉瞬即逝。我衝進門，快步跑上樓梯，從床上跳了過去。姐姐跑上來，問我到底發生了什麼事。我對她說有

個東西追我⋯⋯

很難想像，一個十四歲的學生會無緣無故編造出這麼複雜的科幻故事來，而且這對他毫無益處。如果不是親身經歷，這是很難做到的。

畫家夫婦的一小時

一九八〇年十一月十九日晚上十一點四十五分左右，一對畫家夫婦開車回家，突然聽到一種奇怪的聲音，轉眼，一道強烈的藍光直射入車內。當他們打開窗戶想看清光源時，發現無線電和前燈全部失靈，整部車子被傾斜著騰空抬起⋯⋯當這對夫婦再清醒過來時，他們的手錶已指向十二點五十五分，也就是說兩人有一個多小時的記憶已經丟失。

美國不明飛行物研究中心(CUFOS)與社會心理學者理查德・西斯蒙德要求對他們進行催眠實驗，妻子對那天晚上發生的事極為恐懼，丈夫麥克考慮後還是接受了這一要求。科學家們將他「丟失」的那一個小時記憶完整恢復過來。

車體騰空以後，被引到一個巨大的圓形物體前，周圍有濃密的雲霧遮擋著，一股強烈的臭味撲鼻而來。那

個圓形物體出現一個開口，延伸出一條長道，看起來那條長道非常明亮，像由燈光鋪成，入口處有穿著金黃色閃光衣物的不明生物。那不明生物向兩人打過招呼後，將他們領進一個大房間，固定在房間裡相隔較遠的兩處平臺上，頭上還有個半球狀的燈浮動著，夫婦倆被脫光了衣服，在這裡接受全身檢查……

不知道過了多久，兩人穿戴整齊地被送回車內。當時車子還停在半空中，又是那陣奇怪的聲音和光線，車子穩穩落地，當聲音和光線完全消失時，夫婦倆就像什麼事也沒發生過似的，仍以八十公里／小時的速度行駛在高速公路上。

經過不明生物的身體檢查後，麥克的兩隻腳有嚴重灼傷的痛感。本來，他腳上長著兩個黑色腫塊，被醫生診斷為惡性腫瘤，但事情發生一年多後，這兩個黑色腫塊莫名其妙地消失了。科學家們發現，經過催眠後，丈夫麥克畫出的圖案中有他所說的圓形物體、不明生物、躺過的平臺和浮動的燈，而且那個不明生物只有四根手指。不明生物好像能夠調節「心靈和波長」，在檢查身體時，他覺得「把自己頭腦中的記憶裝置給取了出來，經過嚴格檢查後，彷彿在其中加了什麼知識性的東西，

又放回原處」。

麥克以前曾為軍界服務，了解國防和火箭防禦等方面的情況，不明生物取走的會不會是他大腦中的這部分記憶呢？ CUFOS 本來打算繼續對他進行催眠實驗，但麥克實在不想回想那段痛苦的歷程，他拒絕了CUFOS，測試只能到此為止。

員警阿蘭的二十分鐘

一九八〇年十一月二十八日凌晨，英國約克郡托德蒙敦，三十三歲的員警阿蘭·戈德弗利在巡邏時遭遇了一次離奇事件。

城市西北面有條邦里街，阿蘭開車進街時，發現前面有一個閃著藍光的球形發光體。那球形發光體看上去由金屬構成，只有下面部分在轉動，轉動時帶起的風不停吹搖著樹木。阿蘭想打電話通知員警署，沒想到汽車上的通訊工具全部失靈了。於是他便取出筆記本，開始描繪這個不明球體的形狀。畫了沒幾筆，他突然感覺巡邏車無聲無息地向前移動了一百公尺左右。阿蘭大吃一驚，急忙倒車退回原位，等他的視線再回到前方時，那發光球體早已不見了。

　　阿蘭急忙開車回到員警署匯報。幾分鐘後，同事們與他再趕回現場，發現夜裡的雨水已將周圍地方全部澆濕了，唯獨那發光體停留處非常乾燥，那兒的草地也被吹成漩渦狀。同事們開始搜集證據，有四位員警和一位學校管理員都聲稱當時在附近確實看到有發光體出現。就在搜集證據的過程中，同事們還發現一件奇怪的事：阿蘭大約有二十分鐘的「記憶」丟失了。

　　為了找回這丟失的二十分鐘，英國UFO研究者吉妮·蘭德爾斯透過兩位著名的精神分析學家羅伯特·布萊阿和約瑟夫·賈費的幫助，對阿蘭進行了催眠。這次催眠讓阿蘭斷斷續續回憶起當時的部分場景——阿蘭正在筆記本上畫圖時，一陣強光將他「吸」進了「房間」裡，一個「戴圓帽子、穿白衣的高個男子」和八個矮小的機器人出現在面前，機器人頭像電燈，眼部是條橫線。高個男人雖然嘴沒有動，但卻能清晰說話，阿蘭稱他為「約瑟夫」。

　　「約瑟夫過來摸我的頭……我馬上陷入了一片黑暗……『手鐲』戴在我的手上和頭上……像醫生那樣替我量血壓……我的左腳好像碰到了什麼，鞋子和襪子被脫了下來……誰在數我的腳趾頭……『手鐲』很緊，不舒

服⋯⋯感覺壞透了，有股強烈的臭味⋯⋯頭腦中一亮一暗，不停閃爍著⋯⋯」

根據這些催眠下的反應，吉妮・蘭德爾斯推斷，阿蘭這是在接受「身體檢查」，綁架者可能故意製造了記憶障礙，以防止阿蘭的二十分鐘記憶全部恢復。

相關連結

人類與 UFO 的接觸分類：

1. 零類接觸：遙遠的目擊。

2. 第一類接觸：近距離目擊。

3. 第二類接觸：人體的某一部分觸及 UFO 上某一東西或遺留痕跡。

4. 第三類接觸：與外星人進行直接接觸，看清了 UFO，特別是看清了其中的類人高級生命體。

5. 第四類接觸：透過心電感應與外星人溝通，這是大多數研究者所不承認的。

6. 第五類接觸：人類用友好訊息與外星文明聯繫。

法國兄妹的奇遇

牧場上的外星人

古薩克高原位於法國南部的康塔爾省。這裡有一大片平坦的牧場，牧場的邊緣住著幾戶人家，這便是遠離鬧市的古薩克村。一九六七年八月二十九日，古薩克村的一對兄妹在牧場上遇到了外星人和他們的飛船。

這對兄妹中的哥哥叫弗朗索瓦・德爾珀什，十三歲；妹妹叫安娜・瑪麗，剛滿九歲。這天的上午風和日麗，兄妹倆在五十七號省道旁的一塊牧場上放牛，一條名叫梅多爾的小狗跟在他們後面。

奶牛不太老實，準備跳過牧場的矮牆，去吃別的牧場上的青草。弗朗索瓦立刻追了過去。他無意中一扭頭，發現在省道的另一側有四個跟他差不多高的孩子站在矮牆外的籬笆後面，離他們大約有四十公尺遠。弗朗索瓦拿掉矮牆上的幾塊磚，以便看清楚那四個小朋友長

什麼樣。可是，他發現自己從未見過那些孩子。他們的樣子十分古怪，無論皮膚還是穿的衣服都是黑色的。在這幾個「黑孩子」的背後，矗立著一個極其耀眼的巨大球體。其中，有一個孩子正彎著腰在地上忙著找什麼，另一個孩子一隻手裡握著一個鏡子一樣的東西，另一隻手則不停揮動著，好像在向他的同伴做手勢。

這時候，弗朗索瓦喊道：「過來跟我們一起玩，好嗎？」那幾個孩子發現有人注意到他們，立刻往身後的巨大球體裡躲去。他們一個接一個地垂直升起，飛到發光球體的上方，頭朝下鑽了進去。最後一個孩子飛到球體上方後又折了回來，原來他將那個鏡子一樣的物體忘在地面上了。這時候，球體已經飛到空中，他以極快的速度一頭鑽進球內。球體劃著圓圈上升，弗朗索瓦聽到球體發出一陣尖利但不算刺耳的呼嘯聲，同時還感受到一股輕微的氣浪撲來。

球體漸漸向高空飛去，表面的光芒也越來越強，呼嘯聲則越來越小。過了一會兒，球體消失在天空的西北方。

在此過程中，弗朗索瓦和安娜兄妹倆聞到了一股硫磺的氣味，奶牛們露出了驚慌的神色，小狗梅多爾一個

勁兒地朝著空中遠去的球體狂吠。旁邊一個牧場的二十多頭奶牛也不約而同地叫起來，跑過來跟弗朗索瓦的奶牛聚集在一起。

弗朗索瓦和安娜沒有去追蹤那個神秘的球體，因為他們的奶牛過於驚慌，他們不得不去照顧牠們。兩個孩子比平時提前半個小時把奶牛趕回了牛棚裡。弗朗索瓦的眼睛由於受到極大的刺激，一直不停地流眼淚，醫生給他戴上了太陽眼鏡，幾天以後他才恢復正常。妹妹安娜倒是沒有這一症狀。

UFO 線索

事後，研究人員到現場進行調查，獲得了一些情況：兄妹倆看到的是一個標準的球體，直徑約兩公尺，呈耀眼的銀白色。球體表面光滑完整，沒有發現什麼附件，既無文字符號，也無類似於門窗的出口。四個「黑孩子」好像是穿透球壁進入內部的。球體的底部有一個起落架，由四個支架組成，支架末端各有一個直徑為十公分的滑動輪子——這個情況弗朗索瓦沒有看見，而妹妹安娜看見了。飛行物上升時光芒越來越耀眼，弗朗索瓦長時間盯著看，眼睛受到光的刺激，沒能看到起落裝

置，這也是合情理的。

　　兄妹倆說，當飛行物上升時，空氣中飄散著一股硫磺味，這個說法也符合實際。因為兩個孩子在球體的東南方，當時刮的是西風，風把氣味吹到東邊來了。不過有一點也需要指出，當球體起飛的時候，牲口都跑到一起大聲吼叫，致使臭氣達到一定程度，這很可能被兩個孩子當成了硫磺的氣味。

　　兄妹倆提供的有關「黑孩子」的情況是：他們身高約一百到一百二十公分，個體之間略有不同，手裡拿鏡子狀物體的「黑孩子」最高。他們渾身發黑，閃閃發光。弗朗索瓦說，他們穿的好像是黑色的絲織物，但他無法確定那是衣服的顏色還是皮膚的顏色，因為衣服很貼身，應該是極其柔軟的面料。他們的腦袋上沒有毛髮。

　　這些人的四肢比例跟我們不太一樣，他們的胳膊更加細長。兄妹倆沒看清這些人是否有手。「黑孩子」的腿又短又粗，當中的第四個回來撿東西的時候，弗朗索瓦看到他長著腳。

　　和身軀相比，「黑孩子」的頭大小正常。可是他們的頭頂是尖狀，下巴也是凸出的，鼻子也很尖。在這一個細節上，兄妹倆的敘述產生了矛盾。小安娜說她看到

了鼻子，第四個「孩子」追上球體時，她看到了他的側臉。而弗朗索瓦則沒有看到這一幕。

憲兵們告訴調查研究人員，當天下午他們來得早一些，確實在現場聞到一股硫磺味。他們一致認為，此案屬實，並非訛傳或弄虛作假。

隨後，調查研究人員離開現場，驅車趕往古薩克村，小安娜正好和母親在家。調查研究人員詢問了小安娜大約一小時，他們輪番提問，用不同的語言或方式反覆提相同的問題，以檢驗女孩敘述的真實性。小安娜很腼腆，但是她在回答問題時並沒有自相矛盾。

接著，調查研究人員請小安娜帶他們去找她的哥哥。弗朗索瓦正和鄰居的一個同齡小孩雷蒙在牧場上放牛。研究調查人員又向弗朗索瓦提出了很多問題。談話間，兄妹倆的態度十分自然，從未有暗示或遞眼色之類的動作，知道的就迅速回答，不知道的也會迅速說不知道。弗朗索瓦說：「從那天回來，安娜就說看到了支架，而我卻沒看見。這一點我什麼也不知道。我覺得我妹妹有可能把樹枝當支架了。」

被短暫打斷的平靜生活

調查研究人員從孩子家長那裡得知，事情發生後的兩個晚上，安娜・瑪麗都無法入睡，弗朗索瓦在第一晚也沒能睡著。家長的談話，從側面證明了孩子敘述的可靠性。硫磺氣味這個情節，在飛碟現象中還是第一次聽到。假如這個故事是編撰出來的，那麼編撰者一定是十分熟悉飛碟刊物的人。可是，這類刊物還沒有傳播到山區，孩子們從來沒有接觸過有關的文章和訊息，因此杜撰是不可能的。

小弗朗索瓦和小安娜對外界的外星人熱潮毫無意識。這件事發生以後，兄妹倆唯一知道的就是害怕。過了一段時間，他們就不把這件事放在心上了。

五上飛碟的哥倫比亞人

卡斯蒂略是哥倫比亞的一名長途電話工程師，他於一九二一年生於哥斯大黎加的聖約瑟，後來移居哥倫比亞。他有幸五次被邀請走上飛碟，參觀了飛碟世界。

值得一提的是，卡斯蒂略能順利登上飛碟還得感謝他那具有特異功能的妻子。幾乎每次與外星人的溝通聯絡，相約碰面地點等事宜都是他妻子幫助完成的。下面就來看一看卡斯蒂略第一次是如何透過他妻子聯繫上飛碟的。

相約波哥大遠郊湖畔

哥倫比亞首都波哥大的遠郊有一個不大的湖泊，遠處青山如黛，湖邊有一片很大的桉樹林，很是清幽。一九七三年十一月三日晚上八點左右，卡斯蒂略按照妻子兩個月以前與外星人約定好的，走到湖邊一塊大石旁，從石後取出早已埋藏好的一枚圓球，緊緊捧握在手中，

青少年必讀百科探索叢書

靜候飛碟的到來。

晚上八點二十五分，平靜的湖面突然水聲大作。兩架飛碟從湖面下衝出，升到兩百公尺高空處靜止下來，它們發射出兩道刺眼的強光，把周圍照得通明如晝。卡斯蒂略被這片奇景驚得目瞪口呆，他感覺手中那枚圓球逐漸發熱，身邊的氣溫也有了急劇變化。靜止在上空的飛碟開始盤旋起來，其中一架熄滅強光後悄然遠去，另一架則向他飛來。

波哥大郊外靜謐的湖畔，卡斯蒂略稱外星人與他在此相會

接著，兩個外星人從飛碟中鑽出來，輕飄飄地落到地上。外星人停在與卡斯蒂略相距約兩公尺處。其中一

位說，他們來此並無惡意，絕不傷害人。另外一個補充說，他們將邀請卡斯蒂略登上飛碟。眼前這一幕讓卡斯蒂略無法言語，他任由外星人將自己挾起，這時飛碟也在上空平行移動，並向兩人當頭射下強光。巨大的光束讓卡斯蒂略有萬箭穿身之感，外星人卻不管，只是挾著他騰空而起，並告訴卡斯蒂略，他將會進入一個陌生的地方。

從等待奇蹟到騰空升起，卡斯蒂略頭腦一直非常清楚，他看見地面上一些石子、土塊、樹葉正在某種力量的作用下紛紛旋動起來，飛沙走石，自己正身處其中。很快，兩人飄至飛碟的入口處，艙門適時打開，外星人輕輕地將他放進座艙內。

座艙內的八小時交流

一進入飛碟座艙，外星人便命令他脫掉全身衣服，卡斯蒂略有些尷尬，當這道命令再三重複後，他還是順從了。

卡斯蒂略注意到，座艙內光線很好，但看不到光源在哪。可能是由於散射光的緣故，任何東西都沒有影子。這時，從座艙一角忽然竄出一股青煙，還帶著檸檬

香。卡斯蒂略非常有警覺性，這股莫名其妙的煙霧會不會是一種有毒煙霧呢？事實證明他純屬多慮：煙霧消散，又出現了兩個外星人。其中一個向他要回了那個圓球，另一個主動與他握手，更驚奇的是，那個外星人居然能叫出卡斯蒂略的名字。

眼前這兩個外星人身高約有一百七十公分，有點像北歐人，藍眼珠，黃頭髮，身著係有腰帶的緊身衣，他們能用標準的西班牙語與他交談。透過交談，卡斯蒂略知道，其中一個叫克里斯那梅克，另一個叫克魯努拉。這時，他忽然想起，其實自己早在一九六九年時，在委內瑞拉首都加拉加斯某個劇院門口就結識了克里斯那梅克。他當時叫西利爾·維斯，自稱是摩門教傳教士，他們來往了差不多有四個月。但現在，眼前的克里斯那梅克卻告訴卡斯蒂略，他其實來自金牛座中的昴星團。

在另一間座艙中，卡斯蒂略和他的朋友，包括另外三個外星人圍坐在白色半透明的橢圓形辦公桌旁。這時他發現兩個不尋常的地方，一是老朋友的相貌稍有改變，二是他們交流時，嘴唇幾乎不動。當那位老朋友克里斯那梅克向其他人介紹兩人如何建立了友誼時，卡斯蒂略感到非常高興，但他要與外星人交流，就必須使用

語言了。一場超越時空的對話進行了整整八小時。

　　談話結束後，卡斯蒂略提了一個小小要求：「能不能帶我乘坐飛碟飛行一番呢？」四個外星人聽到這話都笑了，他們告訴這位新朋友，從他登上飛碟起，就一直在飛行。卡斯蒂略很驚訝，他還以為需要穿上某種特製的宇宙飛行衣才可以飛行哩。外星人接著說，飛碟的平穩度極高，乘坐者察覺不到有絲毫的震動。在八小時的談話中，飛碟已飛離地球很遠了。

「星際飛行走廊」的秘密

　　卡斯蒂略對眼前聽到、看到的一切難以置信，但外星人不顧他的驚詫，主動邀請他參觀飛碟內部。於是卡斯蒂略被引入駕駛艙，這裡擺放著一架巨大的螢幕儀器，當外星人按動兩個鍵鈕調試幾下後，螢幕就像一個傳說中才有的「魔鏡」，隨著畫面的推進，這面「魔鏡」上竟然出現了波哥大，出現了他居住的地區，還有自家小樓。樓內，孩子們正安靜地熟睡，客廳裡那隻寵物狗在汪汪地叫著。看來，眼前這架有點像電子望遠鏡的儀器，功能非常奇特、強大，它能遠距離透過屋頂或牆壁窺視房屋內部的情景。觀察完螢幕儀器之後，他還

注意到，在這架儀器旁邊還有一張點線縱橫的電子宇宙圖，上面標明各個行星及人種的分布，而人類生存的那顆藍色星球——地球就在這張圖的邊緣上。

這時，外星人向卡斯蒂略介紹了他們的家鄉——金牛星座的昴星團。昴星團距地球有四百一十光年的距離。關於這點，卡斯蒂略從妻子口中也聽說過。他禁不住好奇地問道：「你們怎麼能夠在這麼短的時間裡，走完四百多光年的路程來到我們地球？要知道，根據愛因斯坦的相對論，光速為每秒三十萬公里，任何以這個速度或超過這個速度運動的物體，都會自行解體而轉化為能。」

外星人這時告訴他一個關於「星際飛行走廊」的秘密：「這是因為使用了超光速飛行。你們必須把相對論再修改三次，才能抓住事物的實質。愛因斯坦僅僅奠定了一種理論的基礎，在宇宙星際之間，存在著星際飛行走廊，它可以大大縮短星座之間、行星之間、銀河之間，以及第一宇宙、第二宇宙、第三宇宙彼此之間的距離。這種走廊可分成幾類，我們用密碼分別給它們編了號碼。」

卡斯蒂略根本聽不懂這番話，他只是隱隱覺察到，飛碟中存在著某種強大的能量。當它飛行時，能量釋放，可以使飛碟以「思維的速度」飛行。比如說想去火

星，飛碟能即刻到達火星。這一說法讓卡斯蒂略想起地球上很多關於UFO的傳聞中，經常會提到一點——UFO轉瞬之間就會無影無蹤。原來，這是它們正在以「思維的速度」飛行。

外星人還告訴卡斯蒂略，目前地球上正在協商成立一個人類的高級組織。卡斯蒂略認為過早談論這個敏感的問題會有某種危險，因此不便進一步向人們透露這方面的細節。

卡斯蒂略說他最後一次登上飛碟是一九七五年一月二十九日在委內瑞拉首都加拉加斯，那次外星人曾帶他到過秘魯上空，並飛臨安地斯山脈的中心，他看到有兩百一十八人正在接受外星人的訓練。兩天後，卡斯蒂略返回地面，結束了他那令人驚嘆的飛碟旅行。

卡斯蒂略經過這五次非同尋常的旅行之後，多次接受各路記者的採訪，還應邀巡訪過拉丁美洲各國，向公眾介紹或解答有關飛碟的一系列讓人困惑的問題。隨後，他又相繼在委內瑞拉創立了「委內瑞拉地外現象研究所」，在哥斯大黎加創辦了「哥斯大黎加科學與地外生物研究所」，在哥倫比亞創辦且親自領導了「哥倫比亞地外現象研究所」，在整個拉丁美洲都享有盛名。

他們都是外星人嗎

洞穴裡爬出兩個綠孩子

西班牙有一個叫龐諾斯的小村莊，一八八七年八月的一天下午，這裡的居民正在地裡工作，突然看見從附近的一個洞穴裡爬出兩個孩子來，一個男孩一個女孩。村民們都很奇怪，馬上圍了上來。只見這兩個孩子皮膚呈綠色，綠得像樹葉一樣。

綠孩子

他們身上穿的衣服不知道是用什麼材料做的。兩個孩子講的話，村民們一句也聽不懂。

人們趕緊把這個消息報告給當地的治安法官。治安法官請求上司派專家來檢查兩個孩子，以弄清真相。可是，專家們也未能弄清孩子究竟講的是什麼語言。至於

孩子皮膚上的綠顏色，不是塗抹的，而是皮膚裡的綠色素所致。這兩個「綠色孩子」的臉龐很像黑人，但眼睛卻像亞洲人。

人們給孩子弄來了各種各樣的食物，他們都不吃。後來，有人給他們送來剛摘的青豆，他們立刻很開心地吃了起來。遺憾的是，男孩由於體質太弱，很快就死掉了，而女孩則由那位治安法官收留下來。後來，她皮膚上的綠顏色慢慢地消退了，並學了一點西班牙語。當人們問她是從哪裡來的時候，她說她來的那個地方沒有陽光，始終是一片漆黑，但與之相鄰的卻是一個始終光明的世界。這個女孩在法官家裡生活了五年，後來也死去了。綠孩子成為一個解不開的謎。

森林裡的「怪物」

一九五二年九月，美國維吉尼亞地區一個小村莊的一群孩子發現一個怪物從村後面的樹林裡走出來，它很像一個鮮紅的大球。孩子們報告了當地的憲兵隊，憲兵隊派人同孩子們一道到樹林裡去搜查，果然找到了那個怪物。它身高約四百公分，身體與人體相似，它穿的衣服，像是用橡膠一類材料做的。它頭上還戴著防護帽，

面孔呈紅色，兩隻大眼睛呈橘黃色，從它身上還散發出一股難聞的氣味。奇怪的是，這個怪物不是像人一樣邁開雙腿走動的，而是像腳底有輪子一樣，雙腿並攏滑來滑去的。孩子們見此情況，嚇得四處逃竄，連憲兵隊帶去的狗也嚇得跑開了。他們跑回去用電話報告了市長，等市長再派人到那森林裡尋找時，已經找不到「怪物」了。但那股難聞的氣味仍未消散，並且還留下了一些難以解釋的痕跡，好像有什麼東西在空氣裡移動似的。

奇怪的「大塊頭」們

一九六三年七月二十三日午夜一點，美國奧勒岡州的三個人同乘一輛小汽車，行駛在公路上。突然，汽車前面出現了一個人形龐然大物，高約四百公分，灰色的頭髮，綠色的眼睛，正在漫不經心地橫穿馬路。幾天以後，還是在奧勒岡州，一對夫婦正在路易斯河邊釣魚，突然看見河對岸一個巨人正盯著他們。這個「大塊頭」穿戴著像風帽一樣的護身衣，身高不低於四百公分。這對夫婦嚇得連忙逃走。同年八月，《奧勒岡日報》派記者前往野人出現的地區調查，拍到了許多奇怪的腳印。這些腳印長四十公分、寬十五公分，估計留下腳印的生

物體重超過兩百公斤。同時，有人在路易斯河附近還拍攝到了另一些腳印：兩個腳印間的距離達兩公尺，估計這個野人體重達三百五十公斤。由此可見，在路易斯河附近不只有一個「大塊頭」。

「野人」的身份

「野人」泛指在地球上發現的不屬於我們人類社會的類人生物。「野人」是殘留下來的古代人類嗎？看來不大像。因為像美國這樣的國家，科學技術十分發達，人口也很稠密，在這樣的地方，還生活著古代人類是不大可能的。如果真有什麼古代人類留存至今的話，他們也不可能是一兩個，所以不被人們發現更是不可能的。

有人認為，「野人」只不過是大猩猩一類的動物。那麼，「綠孩子」這個例子又做何解釋呢？更何況，大猩猩也不可能高達四百公分，更不可能穿戴防護帽之類的東西。

那麼，地球上發現的「野人」是不是來到地球上的外星人呢？這是難以令人相信的。目前人們談到的「野人」看來智力都並不很發達，至少沒有給人以智力發達的印象。而外星人如果真的來到了我們的地球上，他們

的智力當然要比地球人發達。他們來到地球也一定是為了科學考察，甚至與地球人交往，因而他們身上一定帶有我們不認識的先進設備。他們用不著在深山老林裡躲躲閃閃，更用不著像地球上沒有智慧的動物一樣在野外活動。而且，如果是從某一星球來的外星人，他們的外貌應該是相像的。可是現在人們見到的「野人」，彼此之間形象卻大不一樣。這也說明「野人」不大可能是外星人。

世界上許多專家認為，所謂的「野人」也許是外星人發送到地球上來的實驗品，如同地球人發送到月球上去的動物試驗品一樣。這種說法不是沒有道理的。第一，地球人不是已經在向外星發射探測試驗品了嗎？第二，有誰能肯定外星上像人這樣的生物一定也是主宰世界的高級生命呢？也許那裡是別的生物主宰的世界，而像人這樣的生物則祇相當於地球上的大猩猩！第三，在美國所見到的「野人」，他們的形象都不大一樣，莫非外星人發來的試驗品也像地球人進行試驗時一樣，有時用狗，有時則用猴子？第四，目前發現的「野人」一般都單獨活動，且不在同一個地區反覆出現。也許外星人將他們發送來，在完成試驗後，又接回去了吧！

外星人留下的屍體

外星人操縱著飛碟在地球上空飛行、考察，有時還降臨地球作實地考察。頻繁的飛行總會有飛碟失事的可能，這就難免有飛碟殘骸和外星人的屍體甚至活外星人降臨地球。很明顯，飛碟殘骸和外星人的屍體對地球人的研究是極為重要的。因此，不論在地球的任何地方，只要發現飛碟的殘骸或外星人的屍體，那裡的政府和研究人員都會在極為保密的情況下進行回收，而回收以後的研究情況又從來都是秘而不宣的。

秘而不宣的美國情報

美國回收飛碟和外星人屍體的事件在世界各國是最多的，但由於這涉及高度的軍事和科技機密，美國政府總是想盡辦法掩蓋事情的真相，這本來也是可以理解的。日本著名作家矢追純一先生，花了大量的時間和精力，在美國各地拜訪了許多與回收外星人屍體有關的人

員，獲得了大量的資料。他在一九八九年出版了一部引起世界飛碟研究界高度重視的著作《外星人屍體之謎》。在這本書中，他詳細記載了自己在美國調查訪問的情況。他統計這些年來美國回收飛碟和外星人屍體的事件有四十六起之多，現在還有數十具外星人的屍體存在美國，他們被冷凍在地下室的秘密器皿中，美國科學家還解剖過外星人的屍體。

阿根廷草原上墜落的飛碟

一九五〇年，在阿根廷的潘帕斯草原，曾經墜毀過一個飛碟。這個飛碟的圓盤直徑約為十公尺，高約四公尺，有舷窗，座艙高約兩公尺，表面光亮平整。

一家房產公司的建築師傅塔博士開車行駛在潘帕斯草原的公路上，他發現路旁草地上靜靜地停著一個盤狀的金屬物體。強烈的好奇心使他停車走近該物體。他從圓形物體的舷窗往內看，發現盤狀物體內有四張座椅。其中一張空著，另外三張座椅上各坐著一個小矮人，他們紋絲不動，顯然已經死了。這三個小矮人樣子與地球人差不多，有眼睛、鼻子和嘴巴，棕色的頭髮不長不短，皮膚黝黑，全身套著鋁灰色的服裝。

傅塔博士發現，艙內有燈，有各種儀表，還有電視螢幕，但看不出有電線和導管。他知道這一定是一艘墜毀的外星人飛船。於是趕緊開車到旅館，把他的奇遇告訴了兩個朋友。第二天，他和朋友開車趕回原地，但地上只剩下一堆燙手的灰燼。他的一個朋友抓起一把灰想仔細看看，但手馬上就變紫了。後來，傅塔博士得了怪病，連續數月高燒不退，皮膚就像乾涸的土地一樣迅速龜裂，誰也治不好他。

這三個外星人的屍體被人們發現卻未能回收到。是不是第四張座椅上的外星人在飛碟墜毀時幸免於難，最後不得已把飛碟和三個同伴的屍體一同銷毀了？

義大利建築師的發現

義大利飛碟專家阿‧別列格收集的材料介紹，一位名叫艾‧波薩的建築師有一天開車外出旅行，在一個荒無人煙的地區，發現離公路不遠的地方傾斜著一個圓盤狀物體。他走近這個物體，發現上面有一個打開的艙口。波薩從艙口走了進去，發現在直徑六公尺的圓艙裡有三個黑色物體，黑色物體中有一個外星人的屍體。

這個外星人身高約一百五十公分，與地球人一樣有

眼睛、鼻子和嘴巴，但每隻手上都只有三根手指。後來，這具外星人屍體被送到了美軍醫院。

喜馬拉雅山冰峰中的外星人遺體

一九九〇年，美國和尼泊爾的聯合登山隊在喜馬拉雅山的冰雪中找到了一個飛碟殘骸，其中還有六個外星人的遺體。

回收外星人遺體和飛碟殘骸的工作得到了兩國政府的大力援助，回收工作持續了數月之久。在回收過程中，人們發現這些外星人大約只有一百公分高，腦袋和眼睛顯得特別大，而四肢則異常瘦弱。他們還收集到許多金屬殘片，大的有二到三平方公尺，而這些金屬在地球上從來沒有出現過。

使人感到奇怪的是，除了六具外星人屍體外，他們還發現了馬、牛、狗，甚至還有一頭大象的殘骸，以及魚類和幾百顆鳥蛋，全都摔得粉碎。他們失事的年月不可考查，因為這些殘骸被冰雪封凍起來了，因此基本上沒有腐爛，也許這事發生在幾年前，也有可能發生在幾千年甚至上萬年以前。

蘇聯科考隊發現的飛碟殘骸

蘇聯科學家杜朗諾克博士曾在南斯拉夫透露：一九八七年十一月，蘇聯一支考察隊在茫茫的戈壁沙海中，發現了一個被埋於沙丘中的碟形飛行器，其直徑為二十二·八七公尺。蘇聯科學家們認為，這個飛碟的墜毀距今已有上千年歷史了，包括引擎在內的各種裝置仍保存完好。在這個飛碟的艙內，科學家們還發現了十四具已變成乾屍的外星人遺骸。

蘇聯科考隊發現的外星人遺體

美國農場主人槍擊外星人

　　薩頓是美國西部一個普普通通的農場主人，他們全家十一口人，在農場裡平靜安穩地生活著。

　　一九五五年八月二十一日晚上七奌前後，薩頓家的一個年輕人慌慌張張地跑進家門，叫嚷著說他看見一個圓盤形的物體降落在農場後面的一道淺溝裡。大家都不信他的話，並且取笑他。年輕人堅持說，如果不信，他們可以去親眼看看。

　　約莫過了一小時，狗開始狂吠起來，兩個男人拿起槍出去看發生了什麼事。(美國西部，尤其是堪薩斯州和肯塔基州地區，分散居住的農場主人們的原則是：「先開槍，後問話！」)他們見到的果然是一件意想不到的奇事！一個兩眼奇大、渾身發光的小人兒，雙手高高舉過頭頂，就像投降的樣子，慢慢地向他們走來。這兩個勇敢的農場主人並沒有驚慌失措，恰如一句古老的諺語所說的那樣：「別人全都感到恐懼時，如若你不能保持鎮

靜，那就説明你沒有認清形勢。」當那個「小矮人」走到離他們六、七公尺遠時，兩人舉起槍，同時開火，擊中那怪人身體的子彈發出金屬互相撞擊一般的聲響。那個「小矮人」轉過身去，飛快地消失在院子外面。第二個「小矮人」出現時，天已經黑了，他站在窗口好奇地向裡張望。屋裡的一名男子用卡賓槍朝他開了一槍，然後出去察看他是否被打死了，屋裡的人們看見從屋簷上伸下一隻爪子般的手來，揪住那男子的頭髮。

又是一聲槍響，那隻手縮了回去。幾分鐘後，另一個「小矮人」出現在農場院子籬笆牆旁邊的一棵樹上。屋裡的人們舉槍瘋狂地向它射擊，又是一陣金屬撞擊聲。可那個「小矮人」並沒有應聲墜地，而是緩緩地飄向地面，接著便迅速地跑開了。整整三個小時，每次「小矮人」被子彈擊中時，它都「飄向」地面，然後稍加休息整理後便急忙離去。

晚上十一點左右，薩頓家庭委員會做出決定，認為單靠他們自己不能抵禦敵人。於是，全家的七個成年人和四個孩子擠在農場的兩輛車子裡，全速向七千公尺以外的霍普金斯維爾員警局駛去，向警方請求支援。過了大約一小時，他們在員警的陪同下返回。員警們拿著手

電筒和手槍將整個地區察看了一遍，什麼也沒有發現。於是員警們對這幫在深更半夜裡讓他們白辛苦一趟的「瘋子」說了幾句很不客氣的話後便走了，「瘋子們」面面相覷。農場的院子四周一切正常，他們放心地進屋去了。

可是，員警走後還不到三十分鐘，那些「小矮人」又出現在窗外。這次，他們沒有勇氣再去叫員警，就猛烈地開槍進行自衛。大約一個小時後，那些大眼睛的「小矮人」跟出現時一樣，又突然徹底消失了。

避之不及的 UFO 追擊

母子四人被追擊

澳大利亞的悉尼曾發生過 UFO 追擊汽車事件，當事人是費伊·爾茲女士和她的三個兒子。

當時，費伊母子四人正駕車準備去帕恩。凌晨五點三十分左右，他們剛到南澳洲，忽然看見高速公路前方出現了一個巨大的發光體。謹慎的費伊本想避開，繞道而行，但兒子肖恩建議：「那是個奇怪的東西，我們一定要去搞清楚。」於是，一家人開車接近不明發光體。

這個不明發光體看起來像一個一公尺左右的巨蛋，穩穩直立著，中心部分為黃色，周圍則是白色，顏色和樣子都非常奇特，母子四人以前從未見過與之相似的物體。而且，它還發出陣陣可怕的轟鳴聲，這讓開車接近它的費伊女士越來越恐懼，於是他們沒開到近旁便掉轉車頭，準備逃去。

誰也沒想到，那個UFO竟然追了上來。儘管費伊拚命踩油門，汽車以一百公里的時速飛奔，但UFO很快就跟了上來，壓住了汽車頂篷。「天啊！」費伊緊張地大叫起來，三個兒子也受到驚嚇，UFO開始「吸」著汽車慢慢提升。費伊大著膽子觸摸頂篷，感覺非常柔軟、溫暖。「轟隆——」UFO突然鬆開汽車，借著這個機會，母子四人急忙跳出車外，躲到路旁的叢林裡。他們緊張地注視著那個巨大的蛋形UFO，十五分鐘後，那令人恐懼的巨大飛行物終於飛走了。

他們重新回到汽車裡，清除車內灰塵，換好備用胎後繼續趕路。就在四人以為危險已解除時，那架 UFO不知何時又跟了上來。費伊拚命地向對面開過的車輛發出信號，但那些司

避之不及的 UFO

機像什麼也沒有發現似的飛快駛過。到了三百公里外的南澳州塞杜納時，他們終於停了下來，UFO此時已完全消失。四人下車檢查時，發現車頂四角各凹下去一大塊。

雖然那些迎面開過的司機沒有發現UFO，但這並不代表費伊母子沒有見證人。在附近海域航行的船員們，也曾遭遇過這個蛋形發光體。此外，還有一位叫卡薩根羅的司機在費伊母子遭遇UFO前一小時，也目睹了這一怪物。

非洲叢林中的怪物

麥克默多和鮑伯在非洲也碰到過類似事件。

他們是兩位野外工作者，有一天，兩人進入叢林開始作業時，發現正前方赫然出現一個散射光芒的龐然大物。他們躲在樹後，驚恐地觀察起這個龐然大物來。龐然大物粗看像是個大圓球，細看它有稜有角，周圍的光芒呈白色。正對著兩人的那一面看不到任何出口或艙門，它的底部有好幾個支架伸出，使它穩穩地立在地面上。

發光體好像發現了窺探者，從底部探出一支閃爍著淡藍色光芒的軟管，慢慢插入河水裡。當時，鮑伯的右腳就踏在河水中，他立刻感到一陣火燒火燎的劇痛。鮑伯當即抽出右腳一看，整個右腳都變成了黑紫色，麥克默多嚇得大叫起來，因為他從沒見過這麼令人驚恐的顏

色和傷口。

　　麥克默多又看了一眼那個發光體，發現軟管周圍的水竟然在不斷冒出氣泡。這兒顯然已不能再待，他趕緊背起鮑伯準備逃跑，可這時他卻莫名其妙地癱倒在地。鮑伯也被摔倒，受傷的右腳讓他疼得直叫。麥克默多鼓起力氣，作了最後一次嘗試。這一次，他背起鮑伯跑出了一百多公尺，一直跑到汽車裡。

　　開車返回的路上，發光體緊緊跟隨著他們，藍色光芒頻頻閃現。當它懸浮在正前方時，汽車停住了，麥克默多不敢再啟動。那發光體靜止了一會兒後，突然猛力旋轉起來，一拐彎便消失在遠空。

　　UFO追擊汽車司機，很多情況下都是追一追就放棄並消失了，但有時它們也會對人造成身體上的傷害，它們帶給人類的除了心理上的恐懼外，還有一個個難解的謎題。

 相關連結

「禮炮六號」太空人的太空奇遇

　　一九八四年五月十四日，蘇聯「禮炮六號」太空

站上的兩名太空人克華利雅諾與沙文尼克，突然發現一個體積約比太空站小一半的銀光閃閃的圓球體，進入太空實驗室的運行軌道中，與「禮炮六號」相隔一千公尺並列航行。第二天，銀圓球突然運行到距太空站僅一百公尺處。兩個太空人借助望遠鏡從該球體的圓孔中看見了三個皮膚呈棕黃色、鼻梁挺直、眼睛約有地球人兩倍那麼大的外星人。蘇聯太空人為與外星人溝通，使用閃光燈發出摩斯電碼，但未獲回應。他們又改用摩斯電碼發出「數字訊號」，這次竟成功收到了數碼訊號響應。後來，科學家用數學分析，該組數碼訊號竟是一些複雜的方程式。

在以後的兩天裡，三個外星人曾離開圓形物體在太空中多次漫步，他們既沒穿宇宙飛行衣，也無任何供呼吸的裝備。載有外星人的銀色圓球在與「禮炮六號」並排航行四天後離開，消失在茫茫宇宙之中。

外星人留給地球什麼

　　地球上有許許多多令人驚嘆的古代
遺跡、難以破解的歷史懸案、匪夷所思
的自然謎題，這些超越人類智慧的存在，
是外星人留下的嗎？

十八億年前的核反應爐

　　非洲中部的加彭共和國，有個風景非常秀麗的地方——奧克洛。但是，真正使奧克洛聞名於世的，並不是它的自然風光，而是它那神秘莫測的核反應爐。一九七二年六月，奧克洛的鈾礦石被運到法國的一個原子能研究所進行檢測。法國科學家們對這些鈾礦石進行了嚴格的科學測定，發現這些鈾礦石中能直接作為核燃料的鈾二三五的含量偏低，甚至低到不足 0.3%，而其它任何鈾礦石中鈾二三五的含量都應該在 0.73%以上。

令人吃驚的發現

　　這一不同尋常的現象引起了世界各國科學家的高度關注和重視，他們運用多種先進的技術手段和科學方法，努力尋找這些礦石中鈾二三五含量偏低的原因。經過考察和檢測，科學家們十分驚奇地發現：含量偏低的奧克洛鈾礦其實是鏈式反應中生成的「礦渣」。也就是說，

這些鈾礦石之所以鈾二三五含量偏低，是因為它們早已經被「燃燒」利用過了。這個結論立刻轟動了科學界。

為了徹底查明事實的真相，歐美多個國家一批又一批的科學家們紛紛來到奧克洛鈾礦區，進行深入的考察和研究。最終，科學家們的推斷是：奧克洛的這片鈾礦很可能是一個年代古老的核反應爐。

先進的史前核反應爐

經過實地考察，科學家們發現該核反應爐由六個區域的大約五百噸鈾礦石組成，它的輸出功率為一千千瓦左右。科學家們經過考證，認為這些鈾礦的成礦年代大約在十八億年前，而核反應爐則應該是在成礦後不久就開始運轉，運轉時間長達五十萬年。這個二十億年前的核反應爐設計科學、結構合理、保存完整，科學家們對此找不到任何可以合理解釋它的理由，因為它實在太奇妙了，太超出我們現代人可以理解的範圍了！它的設計者、建造者會是誰呢？

對奧克洛核反應爐的探索

這個古老的核反應爐會是自然形成的嗎？這一可能

性微乎其微，因為自然界根本無法滿足核能鏈式反應所要具備的異常苛刻的技術條件。只有利用先進的現代科技使鈾等重元素的

奧克洛的鈾礦

原子核受到中子轟擊時，原子核才能發生裂變，同時釋放出中子，這些中子再打入鈾的原子核，再度引起裂變。而核反應爐就是使鈾等放射性元素的原子核裂變以取得核能的裝置。這種裝置絕對不可能自然形成，只能按照嚴格的科學原理和程序，採用高度精密的技術手段和設備，由科學家和專門的技術人員來建造。這個核反應爐給科學界帶來了不小的震動，但至今沒有人能夠給出合理的解釋。

最新觀點

水的作用舉足輕重，這是科學界的最新論點。美國科學家亞歷山大・希克認為，鈾二三五產生的快中子經過礦石中地下水慢化和控制後，變成了慢中子，使鏈式

反應能以緩慢方式發生。更令人稱奇的是，鈾二三五發生的每一次鏈式反應，都可能持續數千年。因為當核反應爐的溫度太高時，將有更多的水蒸發掉，於是鏈式反應速度減慢、規模變小，使核反應爐溫度降低甚至熄火。在這以後的漫長歲月中，地下水會重新匯聚，使慢中子增多，鏈式反應加速，核反應爐溫度升高，以實現重新點火啟動。所以，有科學家相信，十八億年來，整個鏈式反應過程像間歇噴泉一樣重複發生。顯然，地下水是核反應觸發和控製的開關，是關鍵所在。也就是說，奧克洛核反應爐，之所以沒像原子彈那樣爆炸，「功勞」全在於地下水的神奇控製，使之在持續幾千年的鏈式反應中，一直緩慢釋放著核能。

四億年前的「仙蛻」

　　陝西省蒲城縣號稱「化石之鄉」。據史料記載，漢武帝修建洛水渠的時候，曾在蒲城縣的一座山上挖出一副巨型的龍骨，於是就將這座山改名為龍首山。後來，唐玄宗也曾在這裡挖到一枚奇異的石頭，形狀像一條盤著的龍。當代以來，考古學者在蒲城縣除了發現著名的大荔人化石，還發現了數不勝數的動物化石，如古象、古馬、三葉蟲等等。因此，蒲城縣頗受考古專家學者們重視。

　　而《蒲城縣誌》記載了八百年前一次被稱為神人「仙蛻」（指仙人留下的遺物，或指道教中人得道成仙後留下的遺物）的奇異發現，更是讓考古學者們驚訝不已。

　　蒲城縣堯山上有座古廟，供奉的是一個女神，民間傳說這座古廟求雨很靈驗。宋朝時，蒲城遇旱，當地的老百姓來到古廟求雨，結果沒隔幾天，蒲城普降甘露。

為了答謝神靈，當地人決定擴建古廟。

古廟旁邊有一塊巨石，阻礙了工程的進行，施工者決定鑿去這塊巨石的一部分，以拓展地基。半個月後，當巨石被鑿去一半時，工匠們發現巨石中出現了像蜘蛛網一樣的小空隙。他們繼續鑿下去，在空隙間發現「枯骸一軀，印於石內」，頭顱、四肢、軀體還都是完整的，好像一個人被印在裡面一樣。這讓在場的工匠大為驚駭。

當時的蒲城縣縣令馬揚，是個博學多才的人，他聽說了此事，迅速趕到現場。他認真地查看被鑿去一半的巨石，發現其斷裂處還可以合起來，不明白何人將這個人置入石中，因為整塊巨石儼然一個整體，脈理相連，沒有半點縫隙斷裂痕跡。

馬縣令許久也琢磨不出其中奧妙，於是命令在舊址旁邊重鑿一處新穴，裝好骸骨，洞口用石塊封住，並且提了「仙蛻」二字，以供後人瞻仰。後來，馬揚把發現經過及詳細情況刻成石碑，最後感嘆地說：「然則石中之骸，人耶？神耶？固不可得而知矣！」

一九七六年，「仙蛻」被毀。到了八〇年代，許多學者紛紛前往蒲城尋訪「仙蛻」下落，都沒有收穫。後

來，有人在古廟遺址附近考察，發現了記載「仙蛻」的那塊石碑的大量碎塊。這一切證明，縣誌的記載是可信的。地質學家們又考察了廟址北側及東西兩側，發現均為石灰岩質陡崖，從水平層理上判斷，屬於奧陶紀地質時期，岩層的年齡已有四億年。

人為什麼會夾在四億年前的岩石之中？八百年前，這一謎題讓古人迷惑不解，現代科學家們對此仍然瞠目結舌。眾所周知，人類的歷史至多也只有幾百萬年而已，四億年前的人究竟從何而來呢？

 **相關連結**

秦始皇接見過外星人嗎

外星人光臨地球的傳說，中外都有記載。而中國《拾遺記》尤為獨特，其中記載了外星人與當時地球上稱雄一方的秦始皇進行友好接觸的情況，留下了比較古老的原始記錄。

《拾遺記》卷四記載道：「有宛渠之民，乘螺旋舟而至。舟形似螺，沉行海底，而水不浸入，一名『論波舟』。其國人長十丈，編鳥獸之毛以蔽形。始

皇與之語及天地初開之時，瞭如親睹。」

　　他們還掌握著驚人的高效能源，若用於夜間照明，只需「狀如粟」的一粒，便能「輝映一堂」。倘若丟於小河溪之中，則「沸沫流於數十里」，意即使河水沸騰。

　　這些「宛渠之民」究竟是何許人？秦始皇認為：「此神人也。」那麼，天地間真有神人嗎？古往今來，眾多的學者對這一記載百思不得其解。

岩畫上的古代太空人

　　岩畫本是一種古老的石刻文化，是人類祖先用粗糙石器將平日的生產方式和生活內容，一點點雕鑿在岩層石壁上形成的圖案。按說，岩畫製作的年代越久，反映的就應是人類越原始的生存狀態，但若在幾千年前的岩畫中出現頭戴頭盔天線，身著太空衣的太空人圖案，就不得不讓人驚訝了。

國外的疑似太空人岩畫

　　一九六二年，義大利羅馬舉行的史前史研究討論會上，美國賓夕法尼亞大學的人類學教授 W‧修博士向人們展示了目前已知最古老的岩畫——「火星岩畫」。這些岩畫在十九世紀初由法國探險家亨利‧洛特於北非撒哈拉沙漠的塔斯利山脈的一個岩洞中發現。岩畫雖然輪廓簡單，畫痕粗糙，但清晰地表現了只有兩隻眼睛、無鼻無嘴、身穿厚重服裝的「圓頭」人像，圓頭人頭部中

央有一對橢圓形的物體，這些讓他們看起來很像登上月球身著厚重宇宙飛行衣、頭戴頭盔的太空人。

一九七三年，美國猶他州美蓮草溪谷也發現了一幅岩畫。據碳十四同位素測定，這幅岩畫大約創作於公元前五千五百年。畫中人物尺寸巨大，每個人都有不同的裝束。不但有圓形的頭部，還帶有各式「天線」和護目鏡，人像周圍還有類似儀表板的各種規則物體，看起來像是某種智能機器。岩畫從題材到表現手法來看，似乎跟其他的北美印第安人岩畫沒有任何聯繫。無獨有偶，義大利的瓦爾科莫岩畫，也有類似圖案。這幅壁畫大約創作於公元前一萬年。畫中也有頭戴圓形頭盔的人物形象，人像手中還持有短棒狀物體，那似乎更像是某種工具而不是武器。於是有人大膽推測，這是太空人正在維修機器的場面。

古埃及的金字塔中有一尊創生之神的神像，這是一個提著水桶、長有雙翼的鷹首人身神。神像旁還有一株仿若是生命之樹的物體，形象極似 DNA 雙螺旋結構。要知道，DNA 的雙螺旋結構是在公元一九五三年才發現，而在公元前三十二世紀至公元前三百四十三年之間的古埃及，又是如何得知的呢？這個謎尚未解開，人們

又在墨西哥特奧蒂瓦坎的金字塔中發現也有相似的壁畫。那壁畫正中，象徵生命的雙頭蛇神正纏繞在圖騰上——又是神秘的雙螺旋結構。墨西哥特奧蒂瓦坎曾一度是中美洲的文化、宗教、政治、經濟和社會中心，這裡曾被認為是一種前瑪雅未知文明的集中地。那麼，在這樣一處極易產生奇蹟的地方出現雙螺旋結構圖又意味著什麼呢？實在令人費解。

考古學家還在法國盧薩克堡發掘出一組石板上的雕刻畫，畫中人物穿著長袍、靴子，繫著腰帶，留著修剪過的鬍鬚，完全是一派二十世紀才有的打扮。讓考古學家沒想到的是，這組畫竟然創作於幾萬年前的舊石器時代。南非布蘭德堡也曾發現有一幅岩畫，畫中人像身穿短袖上衣、緊身馬褲，戴手套穿便鞋，左手端酒杯右手拿弓箭，好像在慶祝比賽凱旋。而這幅畫卻作於史前時期……

中國境內的同類岩畫

中國境內也曾出現過多個充滿懸疑的同類岩畫。比如賀蘭山岩畫、陰山岩畫、巴顏喀拉山壁畫、新疆古洞壁畫等。

賀蘭山岩畫位於寧夏回族自治區賀蘭縣洪廣鎮，這裡有三百多幅岩畫，其中近五分之三是人物像。這些人物像中有一幅畫惟妙惟肖、形態逼真地畫著身穿宇宙飛行衣的天外來客，客人的裝飾與今天身著宇宙飛行衣的太空人相比，幾乎是如出一轍。內蒙古陰山岩畫中，也刻有一些頭戴太空帽的人物畫像，這些人像周圍還有許多天體的形象。

　　寧夏衛寧北山地區大麥地岩畫遺存有史前岩畫一萬幅以上，是世界公認的「岩畫主要分布區」。這些岩畫中有的人面頭像，人頭上都戴有直立如天線狀的不明物。據專家考證，這批岩畫可能是比甲骨文年代更為久遠的原始圖案。那個時期頭頂天線狀不明物的人像會是誰呢？

　　更讓人驚奇的是在新疆古老山洞中發現的另一批古代壁畫。壁畫中繪有我們熟悉的月亮，並由月亮不同時期呈現的不同狀態，如新月、上弦月、滿月、下弦月、殘月組成了一組「連環畫」，毫無疑問，它應該是世界上最古老的月相圖。讓人驚訝的是，這組「連環畫」中滿月並非僅用一個圓圈來代表月面，而是在月面的南端、靠月球南極的左側繪有七條輻射狀散開的細紋線。

這說明月相圖的作者非常了解月球大環形山中心有巨大的輻射紋。可是據測定，這批壁畫的岩石正位於新生代第四紀沖積層之下，也就是說，壁畫是幾萬年前舊石器時代的作品。那時尚處於茹毛飲血的原始穴居狀態，是什麼樣的人畫出這組月相圖的呢？聽起來簡直不可思議。

「獨目人」岩畫

就在「連環畫」之謎尚未解開時，二〇〇〇年，新疆青河縣西北山溝中發現的「獨目人」岩畫又將中國境內的此類事件掀起一波高潮。起初，新疆維吾爾自治區博物館的考古工作者，聽說阿爾泰山脈南側的青河縣有一條奇異的「黑石溝」，溝裡的石頭表面布滿坑凹，敲擊後能發出金屬聲響。當考古工作者找到「黑石溝」時，發現這竟是一處面積達數平方公里的鐵隕石群。最大的隕石有一百噸以上，還有刻著各種畜類的隕石畫和「獨目人」的隕石圖雕。

隕石圖雕中的「獨目人」頭部呈圓圈狀，中間繪有一眼，兩手交叉置於胸前，胸以下左右被兩道圓弧包裹，雙腳暴露無遺。從人物外形看似作騰空飛翔及舞蹈狀，充滿了歡樂的情緒，整個畫面比例遠遠大於周圍的

動物圖案。

考古工作者推測它很有可能就是公元前七世紀古希臘學者所說的阿爾泰山「獨目人」。

新疆維吾爾自治區博物館助理研究員張暉說：「古代突厥部落有巴薩特斬除神靈『獨眼巨人』的神話。居住在這裡的主要是突厥和蒙古人，他們刻繪岩畫主要是參照生活中的所見所聞，具有寫實性。」而在一些古代文獻中也確實記載著阿爾泰山很久以前存在過的「獨目人」。如公元前五世紀的希臘歷史學家希羅多德在《歷史》一書中寫道：「過了伊塞頓就是獨目人的領地，然後就是看守黃金的格里芬人(阿爾泰山古部落)，一些民族均在獨目人統領下。」《山海經》中亦曾提及「一目人」、「一目國」，所謂「有人一目，當面中生」，正是「獨目人」岩畫中的形象寫照。

出現同類畫面的還有賀蘭山岩畫：圓圓的頭部中間刻有一圓點，頭以下無脖頸，人物兩隻胳膊為一圓弧狀。甚至遠在澳大利亞的來林兄弟岩畫中也有「獨目人」：他身著連身宇宙飛行服，頭盔正面有一獨目式觀察孔，並且頭頂有三根天線，衣服上有一明顯拉鏈狀圖案，其整個身體外有一個大而橢圓的防護罩。更為驚奇

的是，瑞典考古學家貝格曼還曾在羅布泊北側的庫魯克山發現「獨目人」岩刻：圖中的「獨目人」頭頂上有三根天線狀豎刻線，身旁還有一個帶支架的發光圓盤。

　　這些「獨目人」畫像都說明了什麼？「獨目人」確實存在嗎？他們真是只有一隻眼的人嗎……這些問題的答案可能正如考古學家 M・H・洛夫所說：「許多岩畫就是聖像，人們向它供奉物品，走近岩畫時就像對待最神聖的東西那樣舉行宗教儀式……而這些岩畫就是來自天上的人。」

陸地百慕達

位於北大西洋西部的百慕達海域是眾所周知的「魔鬼三角區」，其實在陸地上，也有一塊和百慕達三角類似的恐懼之地：強風揚起漫天的黃沙，毒辣的太陽炙烤著酷熱的大地，昆蟲和蜥蜴也害怕自然的威力，競相躲到岩石下的縫隙裡——這就是位於墨西哥北部杜蘭戈州的「陸地百慕達」的詭異景象。

陸地百慕達的謎團

「陸地百慕達」地處墨西哥木馬皮米盆地國家生態保護區。它位於北緯二十七度，與百慕大三角和埃及金字塔處於同一緯度。僅僅這一點，似乎並不足以說明「陸地百慕大」的神秘，而在此發生的奇怪事情不計其數：電磁波到了這裡便消失得無影無蹤；隕石在這裡遍地都是，流星雨更是這裡的常客；飛行器飛到這一區域上空時，導航係統完全失靈；古生物化石和動物屍體如

同垃圾一樣遍地都是；不論鄰近地區如何刮風下雨，這裡永遠是驕陽似火；眾多不明飛行物的光顧更讓周邊的居民在茶餘飯後有了話題……

荒涼的木馬皮米盆地

訊號死角

讓我們先來看看「陸地百慕達」的歷史：十億年前，陸地漸漸浮出海面，木馬皮米盆地成為墨西哥第一塊見到陽光的陸地。然而在此後的漫長年月中，人類沒有在這塊土地上留下任何痕跡，它同剛剛誕生時一樣，死一般的寂靜。直到一九六六年的某一天，墨西哥國家石油公司的工程師貝利亞在這裡勘探時發現一個奇怪的現象：收音機、電視機、無線電對講機、衛星遙感係統到了這裡通通失靈。貝利亞給這片區域取名叫「寂靜之

地」，他描述「這裡就如同電磁風雨的風眼一樣，無法接受人類世界的一切訊息」。

吸引飛行物

一九六九年，英國天文學家伯納德‧洛福爾觀測到一顆正在接近地球的流星。該流星進入大氣層後開始燃燒解體，其中最大的一塊沒有燃燒殆盡，而是突然改變原來的飛行方向，朝北美洲飛去，最終落在了「陸地百慕達」的區域內。

兩年後，NASA 的一枚「阿西娜」運載火箭，因技術故障墜毀在墨西哥木馬皮米盆地的沙漠裡。搜尋人員隨後進入該地尋找火箭殘骸的時候發現，雷達顯示器上一片空白，根本無法提供任何訊息。失去了雷達的導航，經過了幾個星期的仔細搜尋，他們才在這一地區的中心位置找到了火箭的殘骸。同時，他們發現火箭殘骸附近的黃沙已經被放射性物質污染了，於是他們也帶走了周圍的幾噸沙子。

一九七六年，墨西哥國家核能研究所派遣了兩名資深專家來到這裡考察，其中一名是享有世界聲譽的墨西哥國家科學獎得主，物理學家雷‧克魯茲。他們考察的

重點是電磁波在這一地區的傳播。兩位專家發現，這裡橫波的傳播很正常，而縱波則完全被屏蔽掉。不久，墨西哥瓜達拉哈拉大學的科學研究小組再次前來，得出了同樣的結論，並測定這一地區放射能極高。為何這裡會產生如此高的放射能呢？

外星人能量庫

對於放射能的解釋，當前最流行的一種說法是科學家提出的「磁場說」，即這一地區的下方存在一個強大的電磁能量場，這就可以對火箭墜落以及雷達係統失靈等現象作出合理的解釋，但為何只有這一個地方具有強大的磁場呢？有人猜測，這裡的地下可能曾經是外星人儲存能量的倉庫。但這也只能是猜測，因為根本無法找到證據來證明這種猜測的真實性。

究竟是什麼導致了「陸地百慕達」的神秘現象？科學家們一步一步地進行探索，新的問題接連不斷。希望在不久的將來，科學家們能夠將最終的結果展現給我們。

青海的「外星人遺址」

　　白公山位於青海省海西蒙古族藏族自治州首府德令哈市西南四十多公里處的懷頭他拉鄉，它四面被荒漠和沼澤包圍，沙丘與戈壁隨處可見。在白公山的西南有兩座高原湖泊，一座叫托素湖，一座叫克魯克湖。令人不可思議的是托素湖為鹹水湖，而克魯克湖為淡水湖，其間由一條叫巴音河的水流連接，但水質涇渭分明。白公山是當地人取的名字，因為山體為白色。「外星人遺址」和眾說紛紜的神秘鐵質管狀物就在白公山下的岩洞裡。

　　遠遠望去，托素湖南岸，高出地面五、六十公尺的黃灰色的山崖有如一座金字塔。在山的正面有三個明顯的三角形岩洞，中間一個最大，離地面兩公尺多高，洞深約六公尺，最高處近八公尺。

　　洞內有一根直徑約四十公分的管狀物，半邊管壁從頂部斜通到底，另一根相同口徑的管狀物從底壁通到地

下，只露出管口。在洞口之上，還有十餘根直徑大小不一的管子穿入山體之中，管壁與岩石完全吻合，好像是直接將管道插入岩石之中一般。這些管狀物無論粗細長短，都呈現出鐵銹般的褐紅色。

在湖邊和岩洞周圍，還散落著大量類似銹鐵的渣片、各種粗細不一的管道和奇形怪狀的石塊，有些管道甚至延伸到煙波浩渺的托素湖中。

科學家當即從管狀物上取下一些樣品進行化驗，化驗結果讓所有人大吃一驚。管狀物的鐵含量竟然達到百分之三十以上，也就是說，在山洞裡發現的是不折不扣的鐵管。

人類能夠製造鐵管的歷史僅有百年，而「遺址」中發現的「鐵管」至少距今六百萬年以上。在這附近，既沒有人長期定居，也沒有現代的工業，這些神秘矗立在洞穴裡的鐵管究竟從哪裡來，又是誰將它們牢牢固定在這戈壁之中的崖壁上的呢？人們百思不得其解。作為近年來中國最受關注的考古事件之一，科學家們依然在努力破解這一謎題。

相關連結

鐵管是外星人遺留的?

一九八一年七月二十四日,在中國的陝西、甘肅等地同時有目擊者報告發現不明飛行物的蹤跡,而且UFO 最後消失的地方就是德令哈。有神秘鐵管現身的托素湖正位於德令哈的附近,這會是一個巧合嗎?還是 UFO 與鐵管之間有著什麼不尋常的關聯呢?有專家推測,德令哈這片神秘的地區,很可能是當初外星人到達地球之後,駐紮的一個基地,這些鐵管恰恰就是外星人遺留下來的。

阿爾泰山石人之謎

在中國新疆阿爾泰山腳下，有一片遼闊的荒原，這裡分散矗立著一些黑色的巨石，當地牧民稱它們為來自天上的神物。它們的質地很像鐵隕石，用小鐵錘敲擊能發出悅耳的聲音。更為奇特的是，有些石頭上還刻畫有人的面孔。

石人的存在並不是偶然現象，除了中國新疆的天山和阿爾泰山，東到蒙古國、南西伯利亞草原以及內蒙古部分地區，西到中亞腹地，一直延伸到裡海和黑海沿岸都有石人存在。如果將這些石人的分布地點由東向西在地圖上連接起來，就會出現一條貫穿歐亞大陸的草原大通道。那麼，誰是這些草原石人的主人呢？

專家們首先想到了去石人身後的墓葬中尋找證據，但現實中保存完好的石人和墓葬非常少。即使找到了類似的遺跡，出於文物保護的需要，也只能進行搶救性挖掘。再加上游牧民族的葬俗本來就很簡單，就更難找到

直接的證據了。

在上個世紀，蒙古國曾挖掘了一係列立有石人的古墓葬，墓中出土的碑文上明確記載了這是突厥貴族的墓葬。在今天的阿爾泰市文管所裡，存放著幾尊石像，被認為是比較典型的突厥石人。它們都有一個共同特點，那就是右手執杯，左手握劍。石人握劍，很可能是因為突厥人有尚武的風俗，而它另一隻手中托著的一個杯子，則是一種權力的象徵。這幾尊石像表現了突厥人的一些生活習性。

然而，二十世紀六〇年代，考古學家在新疆的荒原深處發現一大片古墓葬群。在出土的文物中，考古學家發現了公元前一千年左右的卡拉蘇克文化的陶罐。這與突厥人生活的隋唐時代至少有上千年的差距，這裡的石人就不可能是突厥人的遺存。那麼在三千多年以前，是誰在石頭上留下了自己的雕像呢？

在新疆博物館工作的年輕研究員張暉提出一個大膽的猜想，他認為石人及其相關遺跡是古代人類對外星文明的記錄。張暉認為，有些石人刻畫的正是戴著太空帽、穿著宇宙飛行衣的外星人的形象。在對石人做了大量的統計分析後，他發現，從高空俯視石人，它們的形

狀恰好和傳說中外星人的遺留物——麥田怪圈吻合。這個觀點在學術界引起一片譁然。石人真的是外星人親手雕刻的嗎？由於遺址處環境惡劣，采證困難，現在科學家們很難破解這一謎團。

通古斯大爆炸

一九〇八年六月三十日，在俄羅斯西伯利亞森林的通古斯河畔，突然爆發出一聲巨響。巨大的蘑菇雲騰空而起，天空出現了強烈的白光，氣溫瞬間炙熱灼人。爆炸中心草木焦枯，七十公里外的人也被嚴重灼傷，還有人被巨大的聲響震聾了耳朵。

通古斯大爆炸後的廢墟

這突如其來的大爆炸，讓超過兩千一百五十平方公里內的六千萬棵樹焚毀倒下，爆炸所形成的衝擊波震碎了六百五十平方公里內所有的窗戶玻璃。爆炸還影響到

距離很遠的地方：英國倫敦的許多電燈驟然熄滅；歐洲許多國家的人們在夜空中看到了白晝般耀眼的閃光；甚至遠在大洋彼岸的美國，也能感覺到大地的震顫。

這次異乎尋常的大爆炸引起了科學家們的廣泛關注，然而對於爆炸發生的原因至今仍爭論不休。

隕星說

隕星說是對於這次大爆炸提出的一個解釋，也是接受程度最廣的解釋，不斷有堅持此說的科學家在為它尋找新的證據。

最早得出此結論的是蘇聯於一九二一年派去的考察隊，這支考察隊由物理學家庫利克率領。他們聲稱爆炸是一個巨大的隕星造成的。雖然在通古斯地區大量的沼澤地裡，他們只發現了幾十個平底淺坑，始終沒有找到隕石和隕石坑的任何蹤跡。但是，堅持此說的科學家從未放棄過尋找有力的證據。

二○○七年，一個義大利科學家小組宣稱，他們在通古斯河附近的契科湖底發現了一個大坑，可能就是當年隕石的墜落點，不過現在它已經被湖水填滿了。他們在報告中指出，契科湖位於爆炸中心西北方，最深處達

五十公尺，整體呈倒圓錐體，其反常的深度和奇特的圓錐體形狀顯示，這裡很可能就是隕石的墜落地點。他們依據湖泊的深度和形狀推測，該湖是由地面受到一顆直徑約十公尺、重量約一百五十萬公斤的巨大隕石撞擊後形成的。但是，現在還沒有證據證明該湖是什麼時候形成的。

而且，有人質疑說，既然有隕石坑，為什麼周圍都沒有發現隕石碎片呢？對此，以物理學家根納吉‧貝賓為首的研究人員解釋說，因為墜落的並不是一顆隕石，而是一顆由冰和乾冰組成的彗星。所以，它可以在大爆炸中完全消失，而「試圖尋找一顆傳統的石製或鐵石混合的隕石，只是一種幻想」。

貝賓的依據是，在通古斯大爆炸發生後二十年，在這一地區發現了大量被壓得很密實的冰塊，其中還封存有一些燃燒後產生的氣體。很明顯這些並不是當地凍土層的產物，而可能是某顆彗星墜落時的殘留物。事實上，對於一顆已經在穿越大氣層過程中分裂為許多小冰塊的彗星來說，土壤就像是一個「炙熱的煎鍋」，彗星一與地面接觸，便立即開始融化並發生劇烈的爆炸。這也就是貝賓所解釋的通古斯大爆炸發生的原因。

而且，貝賓還在庫利克的日記中找到了相關的支持。庫利克是第一位親臨爆炸現場的科學家，他當年曾找到過一些被泥炭包裹著的冰塊，但由於他當時正在尋找其他的材料以證實自己的猜想，因此並未意識到這些冰塊所具有的特殊意義。

核爆炸說

核爆炸說是蘇聯物理學家卡薩耶夫提出來的。第二次世界大戰以後，卡薩耶夫訪問日本時，看到廣島遭原子彈襲擊後的廢墟，立即聯想到了通古斯大爆炸，因為原子彈爆炸後的情形和通古斯爆炸後的景象有許多相似之處。例如原子彈爆炸時雷鳴般的聲響、蘑菇狀的煙雲、劇烈的地震、強大的衝擊波和光輻射等，在通古斯大爆炸時都曾經產生過。另外，在通古斯還發現了一些奇怪的現象：如爆炸中心受到破壞，有些樹木雖受傷卻沒有倒下；爆炸地區的樹木生長速度加快，其年輪寬度也由〇·四到二毫米增加到五毫米以上；爆炸地區的馴鹿都得了一種奇怪的皮膚病，等等。這一切都像是由核輻射引起的。

種種相似之處，令卡薩耶夫產生了一個大膽的設

想：通古斯大爆炸就是一場核爆炸。後來，他甚至推測說這場核爆炸可能是一艘外星人駕駛的核動力宇宙飛船，在降落過程中發生故障而引起的。

外星人飛船說

除了卡薩耶夫，支持外星人飛船說的還有「通古斯宇宙現象」基金會主席尤里・拉夫賓。據拉夫賓介紹，早在幾年前，埃文基一個叫波利古斯的小村莊就引起了他和同事們的濃厚興趣，因為這個地區發生了一些奇怪的現象——衛星從太空發回的照片顯示，似乎有某種東西墜落此地。

在反覆考察這一地區後，拉夫賓和他的同事們在一個小土丘上意外發現了矽化鐵物質。拉夫賓說，矽化鐵並非一種普通的化學物質，它根本無法在自然界中自然化合形成；更不可思議的是，他們找到的矽化鐵物質中還含有氖、氬、氦，這樣的物質成分組合就更不可能在地球環境下自然形成了。

另外，他們在這些像鵝卵石一樣的矽化鐵物質上又發現了刻上去的、整齊的、如同象形文字一樣的圖案。而他們即使用現代最強大的激光儀器，也只能在矽化鐵

上留下輕微的痕跡。

由此，他們推斷，這些矽化鐵物質可能是外星飛碟的碎片，這些文字也是外星人所為。後來，他們又在通古斯河畔相隔約七十公里的地方分別找到了兩塊一模一樣的矽化鐵物質，發現地點距通古斯爆炸中心將近兩百五十公里。

拉夫賓認為，那些奇異的「象形文字」也許僅僅是一個漂亮的外表，而這種矽晶體裡面很可能隱藏著巨大的秘密，或許，這就是外星飛碟的黑匣子殘片。

反物質撞擊説

這是一九六五年由三位美國科學家提出的一項新理論。他們將通古斯大爆炸的原因歸結於一種從太空降落的反物質——反隕石。他們在調查報告中説：「大爆炸發生當天，一個由反物質組成的隕石意外地闖入了地球並導致了這場災難。」他們的推測所依據的理論是，〇‧五克反鐵與〇‧五克鐵相撞，就足以產生與廣島原子彈爆炸相當的破壞力。但這畢竟只是一種推測，目前相信這個論斷的科學家並不是很多。

黑洞撞擊說

這是美國德克薩斯大學的科學家傑克遜和萊伊安提出的新觀點。這種學說認為，通古斯大爆炸是由於微型黑洞天體的強大引力所造成的。這種觀點是在一九七三年黑洞天體理論逐漸得到科學界認同的情況下提出的。這兩位科學家通過研究斷定：「引起大爆炸的小型黑洞是從冰島和加拿大之間的大西洋某地區穿過地球的。」這種猜想，可以算作卡薩耶夫的理論的衍生，因為它解決的也是大爆炸的能量從何而來的問題。

通古斯大爆炸已經過去一百多年了。一百多年來，無數科學家對它的起因進行了不懈的研究，卻仍然無法做出結案陳詞。這一場驚動了半個地球的大爆炸，會成為永遠的謎團嗎？

恐怖的屠牛事件

詭異的傷口

美國內布拉斯加州有一個叫法內姆的小鎮。二〇〇四年八月二十五日，鎮上的居民在附近的一個山谷裡發現了一頭死掉的母牛，牛的舌頭和乳房被割掉了，還少了一隻眼睛，但傷口都很平整，就連眼睛的傷口也呈現為規整的圓形，牛的身體部分及周圍沒有發現一丁點血跡。牛身上儲藏著大量的血液，如果是食肉動物所為，那麼為什麼在現場沒有留下一點血跡？傷口又為什麼會如此平整呢？如果不是食肉動物所為，難道是人類嗎？

其實一直以來，屠牛事件在阿肯色州、新墨西哥州、密蘇里州都時有發生，到現在為止被殘害的牛已有一千多頭。所有被殘殺的牛死亡原因不明，既沒有被麻醉的跡象，也不像中毒身亡，身上更沒有槍傷，傷口處像外科手術般精準和規則。美國著名外科醫生艾倫・邁

亞茲曾做過一個試驗：用最新發明的激光刀對一張雞皮進行切割，其結果是切割口有明顯的灼傷痕跡，與牛的傷口明顯不同。根據常理，牛身上儲藏了大量的血液，可是在屠牛事件中所有血液都消失得無影無蹤。更讓人驚訝的是，所有動物，包括食腐動物都不敢接近這些神秘死亡的牛。另外，從來沒有任何人和任何組織宣布對屠牛事件負責。所有這些極端怪異的特徵都不得不讓人聯想到外星人。

肇事者是食肉動物嗎？

有一些屠牛事件研究者猜測，牛是被外星人帶到飛船中進行手術後，再拋回地面的，所以屍體周圍沒有血跡。外星人的目的很可能是提取牛的DNA。另外，在發生屠牛事件的前一天晚上，當地居民曾聽見類似飛機起飛的噪音，甚至還有居民看到奇怪的亮光。由於屠牛案件數量的增加，以及那些因屠牛事件而遭受財產損失的美國牧場主人的強烈要求，美國聯邦調查局不得不於一九七九年五月正式著手調查此事，由肯尼迪·隆美爾警官負責該案件的調查。

經過一年多的調查研究，隆美爾認為，屠牛事件是

食肉動物與食腐動物所為。這也成為美國政府對於屠牛事件的官方結論。

然而，美國民眾和媒體並不認同這一說法，都在猜測是什麼神秘力量殺害了這片草原上的牲畜。

專家的看法

琳達・豪是美國研究屠牛事件的專家，她在二十五年中研究了一千多起類似的屠牛事件，擁有無人能及的經驗，是美國對於屠牛事件最為權威的學者。

當朱爾延斯農場的屠牛事件發生後，琳達・豪在第一時間趕到案發現場。她的現場記錄這樣寫道：「事發地在一個偏遠的小山谷，這裡不管發生任何事情，也不會有人看見。被屠殺的牛呈南北方向躺著，體重平均為一百七十五公斤左右，屍體保存相對完好，沒有被食腐或食肉動物吃掉的跡象。其附近發現大量新鮮的牛糞，說明幾天前曾有牛群路過此地。而出事之後，所有牛群都對出事地點避而遠之。」

琳達・豪還在牛的上半身發現了兩個看起來非常古怪的洞。這兩個小洞直徑約〇・三公分，切割口附近的肌肉組織已經變得十分堅硬。這是為了取走牛的心臟而

留下的傷口嗎？

　　琳達‧豪決定將有小洞的牛皮切割下來，送到實驗室做進一步的研究。經資深病理學家比利‧約翰遜博士的分析證實，屠牛事件並非食肉動物所為。除此之外，琳達‧豪還對事發周圍的土壤和綠色植物進行了標本採樣。因為根據她對以往發生的屠牛事件及UFO相關事件的研究發現，所有相關的地點周圍都匯聚了比一般地區更多的磁性物質，植物葉綠色和線粒體都發生了明顯的變化。

　　實驗室的萊文古德博士透過顯微鏡仔細研究了琳達‧豪從朱爾延斯農場帶回來的土壤標本。土壤標本中發現了一些黑磁鐵顆粒和一些紅色顆粒。綠色植物標本由於被磁性物質影響，內部結構也發生了明顯變化。這一分析結果正好與琳達‧豪的推測相吻合。研究者解釋說，由於宇宙中的隕石顆粒中漂浮著大量的磁鐵，它們的聚集形成了等離子能量源。漂浮在大氣層中的等離子能量源可以像龍捲風一樣快速地旋動，因此在宇宙中流動的磁鐵顆粒隨處可見。然而，這些本應該漂浮在銀河係的磁性物質，為什麼越來越多地來到地球上呢？是誰將它們帶來的？

其實，很多飛碟事件的發生，都伴隨著一些磁場的變化，如當地忽然停電，或是手機訊號消失，似乎飛碟一來周圍的磁場就亂了。琳達・豪並不認為這僅僅是巧合，所有的分析結果讓她更加堅信自己的觀點，這一切都與外星人有關，當然屠牛事件也不例外。

但是，這一觀點卻無法得到主流科學家的認同，因為外星生命存在的證據尚未找到。最終，與大多數UFO事件一樣，屠牛事件的官方解釋僅僅只是食肉或食腐動物所為。

麥田怪圈與 UFO

各種各樣的麥田怪圈

　　從一六四七年英國發現第一例麥田怪圈現象到如今，已有三百六十多年歷史。幾百年來，這一神秘現象不斷出現在英國、美國、澳大利亞、法國、加拿大、紐西蘭、瑞士等國。

　　研究者發現，怪圈多見於春夏之際，每次出現的圖案各不相同，從簡單的圈狀圖案漸漸發展到複雜的如蠍子、蜜蜂、花等圖案。類似事件出現最為頻繁的是英國。起初，當好幾百個圓環狀、螺旋狀及其他形狀的麥田圈圖形出現在英國「威爾特郡三角」時，並未引起人們的注意。二十世紀五〇年代以後，麥田怪圈呈圓狀痕的報告才正式出現在英國官方面前。

人爲製造的實驗與報導

基於這些基本特徵，好奇的人們開始做出種種推測，這些推測可大致劃分為人為與非人為兩類。

相當部分的學者認為麥田怪圈不過是人為的惡作劇。儘管大部分實驗都失敗了，但英國電子工程師柯林·安德魯於一九九一年在「威爾特郡三角」中心地區進行的一項實驗發現，利用紅外線照相機和感應器，可以在麥田中製造出好幾個圓狀圈。經過研究人員調查，很多麥田怪圈不過是附近居民搞的惡作劇。

附近居民可能做出一些簡單圖案，但較之更為複雜精美、比例勻稱的圖案呢？就在人們半信半疑之時，英國《每日快報》的一則報導稱：從一批最新解密的軍情五處二戰檔案中得知：「麥田怪圈」最早是納粹的秘密特工發明創造的，其用意是為納粹空軍的轟炸機空投炸彈或者傘兵部隊降落提供記號。

儘管這份來自軍方的解密文件言之鑿鑿，但學者們並不放過任何一個疑點：納粹秘密特工的「傑作」不過只限於一些粗略圖案、記號，能從空中觀察到即可，如果真是出於此因，有必要做出那些構思巧妙、形狀各異

的複雜如蠍子、蜜蜂、花等圈形圖案嗎？而且據實驗表明，人造麥田圈邊緣粗糙，圈中的麥稈通常會斷裂，但事實上它們通常成扁平狀，納粹秘密特工能有這般超乎常人的非凡能力嗎？

非人爲製造的幾種推測

俄羅斯地質協會成員斯米爾諾夫認為是高頻輻射造成此種現象。他在怪圈出現的陶里亞蒂麥田裡撿了一些蕎麥稈帶回實驗室。他將蕎麥稈放進微波爐，再加入一杯水，經過六百瓦的高頻輻射十二秒鐘後，蕎麥稈發生了奇異的變化，所有試驗的麥稈都在節瘤處發生了彎曲，形狀與陶里亞蒂麥田裡倒伏的麥稈完全一樣。斯米爾諾夫因此得出推斷，陶里亞蒂的麥田一定是受到了高頻輻射，這些高頻輻射來自於地球內部的磁場變化。

俄電工學院的專家阿爾將耶夫的觀點與斯米爾諾夫相反，他認為這種高頻輻射來自外部的閃電。阿爾將耶夫稱，高頻輻射使草本植物發生規律性倒伏並不稀罕，他們很早就在學院的草坪上做過這事。那時，阿爾將耶夫與兩名年輕的助手一起在學院的草坪上試驗高頻設備，當懸在草坪上的高壓電纜被接通時，電纜下方的草

坪立刻呈順時針方向倒下，形成一個極其規律的圓圈。阿爾將耶夫解釋說，當電纜通電時，草坪被電磁化，此時的草坪相當於電機裡的定子，而電纜是轉子，在電磁扭力的作用下，草坪上的草便發生扭曲。所以他認為，電纜所產生的電磁現象相當於人造閃電，而大自然的閃電更加奇妙，它會產生複雜的電磁場，因而也就可以畫出更加奇妙的圖案。

複雜的麥田怪圈

　　大氣物理學家米頓博士隨後又推出了等離子旋風體說。他發現，麥田怪圈經常出現在山邊或離山六七公里的地方，這裡很容易形成龍捲風。米頓博士把這種俗稱為龍捲風的等離子旋風體解釋為高度帶電的旋轉空氣

團，它有時看上去像一個圓柱，有時候像個球，也許還會在空中閃耀。如果它直接落到地面，就會旋轉形成圓圈或螺旋線。

還有些生物學家認為可能是農作物感染某種病毒引起的倒伏，但目前各國文獻資料表明，所有能引致農作物倒伏的病毒案例中，尚無一種病毒可以造成農作物呈規則的幾何圖形倒伏。

遍查無果後，一些飛碟研究人員將神秘的麥田怪圈與外星智慧生命聯繫起來。這些在空中才能完全看清的符號，是不是外星人給我們的某種訊息呢？研究人員假設這是UFO降落後留下的痕跡，並推想出三種能造成此類圓狀痕跡的UFO。但是這種觀點也有很多疑點：農作物只有倒伏並沒有燒焦，也沒有其他相關的物理與化學反應，而且這麼多怪圈案例中，怎麼從來沒有聽說附近有UFO目擊者？個別看起來像箱子、鑰匙、人形圖案的麥田怪圈圖案又怎麼解釋呢？看來，UFO觀點也僅能作為一種假設供人們作參考而已。

UFO 擊沉「鐵達尼號」

　　一九一二年四月十五日，載著一千三百一十六名乘客和八百九十一名船員的豪華巨輪「鐵達尼號」在其首航中與冰山相撞而沉沒，這場海難被認為是二十世紀人類十大災難之一。幾十年來，有關「鐵達尼號」遇難的真正原因一直是科學家們探索和研究的焦點，也是一個令人費解的世紀之謎。要知道，「鐵達尼號」當時堪稱「世界上最大的不沉之船」，它怎麼會如此不堪一擊，在首航中就因撞擊冰山而沉沒？

被功率強大的激光束擊穿

　　一九八五年，海洋勘察人員在大西洋底終於發現了已沉睡七十三年的「鐵達尼號」。他們在對其殘骸進行勘察時，在其右舷的前下部發現一個直徑恰好是九十分的大圓洞，叫人百思不得其解的是，這個大圓洞邊緣十分光滑平整，好像是被一種類似於圓規的工具切割後

形成的。

英國皇家海軍艦艇專家雷蒙托・塞茲瓦爾會同國際專家組對「鐵達尼號」船體右舷前下方的神秘圓洞進行水下拍照和測量等綜合研究，確認「鐵達尼號」是被一種功率強大的激光束擊穿，底艙進水而遇難。一般情況下，理應在船體的球鼻首處或其周圍部位留下不規則形洞痕，或船體鋼板出現不規則的開裂現象，可是「鐵達尼號」並非如此。

六幅照片中發現八個發光體

科學家們按照「鐵達尼號」殘骸考察計畫，在對船體拍攝的六幅水下照片中，發現了八個來歷不明的神奇發光體。一開始，研究人員認為，這可能是某種深水魚群，不過，當研究人員借助电腦再次對這些水下照片進行更詳細分析後發現，確實有一些來歷不明的人造發光體圍繞著「鐵達尼號」游弋。海洋學家確認海洋中再也找不到跟這些神奇發光體類似的東西了，它們很像在空中飛行的那些UFO，但又有別於那種典型的飛碟，而是類似世界各地的許多目擊者見過的那種能量凝聚體。

科學家由此得出一個令人震驚的結論：「鐵達尼

號」是意外遭到不明潛水物射出的激光束的攻擊而進水翻沉的。美國著名飛碟專家克羅溫博士確認，這些海中不明潛水飛行物似乎來自地球外，我們地球上從未有過這類怪物。

人類對 UFO 的研究

　　人類以極大的熱情和科學的態度來對待 UFO。我們將地球人的請帖發往宇宙中，期待著早日收到外星生命的回音。

UFO 存在與否

在眾多的自然之謎中，UFO是最使人感到神秘莫測的。可是多年以來，UFO問題不僅沒有明朗化，反而顯得更加錯綜複雜。

雖然越來越多的公眾相信部分 UFO 是外星人的飛碟，但正統的科學界和各國政府卻否認飛碟的存在，認為UFO無非是一些探空氣球、流星、虛無縹緲的幻影或未知的大氣物理現象。的確，限於目擊者的知識水準，大部分目擊事件是把飛機、氣球等當成飛碟，有些確實是一些未知的大氣物理現象，如地光等等。

一九九七年的八月初，美國的一家報紙曾發表文章稱：在五○年代出現的大量UFO現象，其實是美國軍方進行的秘密實驗。此話引起一片譁然。儘管如此，但美國軍方並沒有站出來證實這一點。的確有相當一部分UFO是無法解釋的，而且其中不少是科學家和飛行員親眼看見的，難道一個天文學家能把一顆流星當作飛碟？

難道飛機上所有人員都同時產生幻覺？

UFO無法在實驗室研究，也沒有任何公式可用，連確切的證據都沒有，這正是它不為正統科學界承認的一個主要原因。人們習慣於借助電子和光學等儀器提供數據，用公式演算分析去驗證一個發現。但研究UFO卻無任何儀器可用，也無法重演，故很難使人接受。一架飛機在我們頭頂飛過後，我們可以繼續知道它在哪裡，在它飛行方向的下一個地方，人們也會看到飛機。但如果是一個固態和有形的UFO昨晚干擾了汽車、飛機以後，現在它在

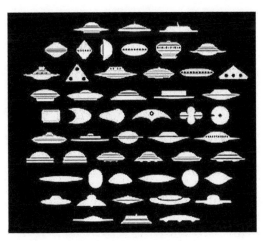

迄今爲止發現的 UFO 的形狀

哪裡？在它消失的方向上，可能再也沒有人看到它，監視整個地區的雷達、紅外探測器也沒有發現它。事實上，它從現實中消失了。可見，對UFO的研究，與目前的傳統科學有很大的差別。同時由於一批狂熱的UFO主

義者常常誇大其詞，甚至弄虛作假，憑空杜撰UFO接觸事件，偽造 UFO 照片，使 UFO 研究聲譽大跌，也使大部分科學家對UFO現象產生反感，他們既無興趣也無時間進行研究。在這種情況下，就很容易得出UFO根本不存在的結論。

否定 UFO 存在的人往往用科學法則來說明 UFO 的不可能，如「大氣中不可能有飛碟那樣高的速度，否則就要產生衝擊波」、「這麼大的加速度會把任何東西壓碎」、「飛碟那麼小，若是從別的星係飛來的，它的燃料放在什麼地方」等等。他們還往往把愛因斯坦的相對論搬出來，指責「UFO研究不按科學規律行事」。如果籠統地問，愛因斯坦的相對論絕對正確嗎？可能人人都會持否定態度，但在具體問題上就是另一回事了。現在人們正在努力研究統一理論和白洞問題，也有越來越多的人傾向於瞬時完成宇宙航行，起碼不需要原來認為的那麼多時間。UFO否定論者曾嘲笑說：「對於 UFO 研究者來說，只要有解決不了的問題存在，那就需要修改現代科學的理論。」

英國UFO研究協會曾就這個問題，對所收集的UFO數據中有關UFO的特徵加以分類、比較和研究，結果認為傳說中那種神話般的UFO現象是不存在的。現在看來

UFO並不是什麼「天外技術」的具體表現形式，可能是發生在地球上的一種自然現象。它的出現與地理條件關係密切，有可能是一種不明大氣現象。例如，某些材料中談到的一種「UFO」呈卵形，直徑一到三公尺，繞主軸旋轉，接近地面並發出大面積電磁輻射的就屬這類。現在科學家利用一定手段已能證實它的存在，並把它命名為「不明大氣現象」(VAP)，以便與可能存在的「不明飛行物」(UFO)區別。科學界仍然對UFO實在性持懷疑態度，但大量「觀察事實」卻引出了「地外層空間船」的假說。美國聲望很高的 UFO 學者艾倫‧哈依內克博士，曾是一位有力的否定論者，但他接觸了大量的目擊報告和目擊者後改變了態度，他曾擔任過大學天文系主任、天文臺臺長等一係列職務。一九七六年，哈伊內克在伊利諾伊州UFO研究中心對記者說：「對這樣的數據假裝不知，甚至否定目擊者的人格，這是科學家的良心所不允許的；輕蔑與無視，絕不是科學方法的一部分。」

看來UFO存在與否的科學爭論，在未來還會長期地進行下去。但是有一點是確定的，輕易地否定，結果並不能改變輕易的肯定，UFO存在與否需要我們用正確的科學態度去逐漸證實。

UFO 為什麼不願與人類接觸

人類對於 UFO 的困惑，不僅僅在 UFO 是否存在這一焦點問題上。有不少人提出，既然飛碟可能來自外星，那麼為什麼它們不與人類接觸？據專家們分析，大體有如下原因：

1.地球人總是充滿敵意，把飛碟的到訪視為入侵，往往以襲擊或進攻的方式來接待它們。

2.外星人對我們實行一個臨時性的隔離檢疫期。

3.他們的使命僅限於監視與考察地球。

4.外星人與人類的生理結構不同，不能承受我們的動物性低頻振幅。

5.根據互不干涉的宇宙準則行事。

6.兩種文明差異過大，過早接觸對雙方都有害無利。

7.早已摸清地球人的情況，不需要接觸。

8.據了解，人類的太空人出航前均得到訓令：當發現外星生命體時，不准隨意接觸，可保持警惕，首先要

弄明對方意圖,再進行試探等等。同理,外星飛船上的乘員在出發前可能也得到相似的訓令。

9.飛碟由於種種原因不可能與我們接觸:(1)它們並非實體,不過是外星人放過來的影像(就像電視圖像)。(2)他們在另一維空間飛行,偶爾闖入我們這維空間。(3)多個宇宙論:宇宙中套宇宙,多個宇宙是一個交叉、平行的世界,他們並非在我們這個宇宙中。(4)他們是反物質結構,無法與我們親近,避免雙方傷亡。(5)心理學說:UFO是人類集體的潛意識的典型創造、意念造型遙探催眠術。

一些堅持「地球中空說」的學者認為,我們所看到的飛碟來自地球內部或海底,並非來自天外。「地內人」千方百計避免與人類接觸,以防地下家園遭到侵害,有時他們佯稱自己是外星人,以轉移人類的視線。

還有一種與上面所有觀點截然相反的意見,認為飛碟與人類早已接觸。許多有影響的UFO專家都同意這種意見,他們指出,這種接觸可能早已在外星人認為的相應的水準上建立。自遠古時代以來他們一直與我們保持著多種方式的接觸,他們一直在幫助我們發展科技、提高文明程度。他們也許有一個提高人類「宇宙覺悟」的

時間表，可能他們認為目前公開見面的時機尚未成熟，因此他們寧願繼續在暗中，不露聲色地給我們以大量援助。甚至有些想法更為大膽的UFO專家認為，外星人已大批混雜在地球人中。

外星人基地之謎

　　地球上出現的形形色色的UFO，不可能都是從數十光年以外的母星球直接飛到地球上來的。它們當中的絕大多數，更像是巨大的宇宙飛船的子飛船，或者是從離地球較近的太空基地發來的。甚至有人說，外星人的基地已經建立在地球上了，那他們的基地會在哪兒呢？由此出現了各種猜想，有海洋基地說、月球基地說、地球軌道說，還有人說在沙漠裡。

海洋基地說

　　不少 UFO 目擊者都說曾看見 UFO 從海洋中飛出，或從天空鑽入海中。難道外星人的基地在海洋之中？其中神秘的百慕達三角區，更是UFO經常出沒的地方。許多飛機駕駛員、水手、研究人員等都曾在這裡的海域或空中目擊過 UFO。

　　百慕達地區一直神秘莫測，很多飛機、船隻在狀態

良好的情況下在此失蹤。美國肯尼迪航天中心發射的三枚火箭也莫名其妙地掉進了百慕達三角區，至今沒有找到火箭墜落的位置。

一九七九年，美國和法國科學家組織的聯合考察組，在百慕達海域的海底發現一座巨大的水下金字塔，這顯然不是地球上的人類所為。因此有人認為，百慕達三角海底有個外星人基地，他們在海底安裝了強大的訊號係統，這些訊號係統發出的訊號會嚴重干擾船隻和飛機的導航係統。

月球基地說

一九六九年，美國「阿波羅十一號」飛船成功登陸月球。當兩名太空人回到指令艙後，登月艙突然失控並發生墜毀。根據設置在距離墜毀點七十二公里的地震記錄儀記錄顯示，墜毀發出的震蕩聲持續了十五分鐘，聲音越傳越遠並逐漸減弱。

於是，蘇聯物理學家瓦西里和曉巴科夫指出：「月球可能是外星人的傑作，月球是空心的，在它的表層下存在著一個極為先進的文明世界。」如果月球是實心的，這種聲音最多只能持續一分鐘左右。科學家還在月

球上發現了類似地震那樣的月震，月震的震級很弱，最大的月震也只相當於地震的一、二級，但震動持續時間卻很長，似乎也證明了「月球是空心的」。

月球上的一些奇怪現象也似乎表明了這些。如美國「月球軌道環行器二號」曾對月球進行了近距離拍攝，照片上清晰地顯示出一些塔狀物體。專家們一致認為，這是人工建築物。

如果外星人想找一個既能研究地球，又能保持一定距離的地方，月球的確是一個理想的棲息之所。不過月球究竟是不是外星人的基地所在，還有待人類進一步探索研究。

地球軌道說

一九六一年，在巴黎天文臺觀測站工作的雅克・瓦萊發現了一顆奇怪的地球衛星，它的運行方向與其他衛星正好相反，環繞地球逆向旋轉。許多天文學家按照瓦萊提供的精確資料，也發現了這顆衛星。這顆來歷不明的衛星被命名為「黑色騎士」。

科學家們由此猜測：「黑色騎士」可能與UFO有聯繫，因為只有UFO能改變重力的影響。由此推斷，在地

球軌道上可能運行著一個UFO軌道基地。進一步的研究表明：所謂的「黑色騎士」只是一些宇宙飛船的殘骸，這艘飛船由於內部爆炸而碎成了十片。科學家們用精密的儀器跟蹤發現，它們原先是一個整體，據測算應該是於一九五五年十二月十八日爆炸的。但是，人類第一顆人造衛星上天是一九五七年。因此，它絕不可能是從地球上發射的，它也不可能是隕石，因為隕石不會從內部自行爆炸。

蘇聯天體物理研究者克薩耶夫說：「其中兩個最大片的殘骸直徑約有三十公尺，可以假定這艘宇宙飛船長六十公尺，寬三十公尺，大概有五層。它的內部設備非常先進，裝設有望遠鏡、無線電設備以供通訊之用，還有舷窗供探視使用。」

回收這些殘骸，並把它拼合復原成為一個整體，也許就能知道「黑色騎士」到底是什麼了，科學家們正在為此而努力。

此外，有人認為UFO基地在人跡罕至的沙漠裡；也有人認為在地球兩極；還有人認為在地球內部，那些大裂谷地區就是它們的出入口。

外星人的基本類型

　　各國的不明飛行物專家都已經掌握了數量可觀的有關外星人的目擊報告。從這些目擊報告來看，人們所見到的外星人大致可分成以下五類：

1. 矮人型類人生命體

　　他們的身高為九十到一百三十五公分，腦袋顯得很大，前額又高又凸，好像沒有耳朵，目擊者很難看清。

　　他們目光呆滯、雙目圓睜，說明其雙眼對光線幾乎毫無感覺。他們的鼻子很像地球人的鼻子。但有些目擊者說，他們所見到的矮人鼻子如同面孔中間的兩道縫。矮人型類人生命體的嘴像一個有唇的口子一樣，或者說是一個非常圓的、有奇怪皺紋的孔。他們的下巴又尖又小。他們的兩隻手臂挺長，脖頸肥大，雙肩卻又寬又壯。

　　這些矮人型類人生命體都身穿金屬材質的連身衣或是潛水衣。有人曾看到過一小群這樣的矮人，當時目擊

者還認為他們是外形醜陋的類人猿。這些矮人的兩側好像並不對稱，他們身軀的左部似乎比右部肥大些。

2. 亞洲人型類人生命體

這類生命體的身長為一百二十九到一百八十公分。從總體上看，他們身體各個部位都很協調，沒有任何醜陋的地方。他們的形態表現在各個部位上都與地球人相近。如果要把他們與地球上的某個民族相比，他們很像是亞洲人。

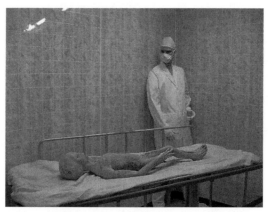

美國羅斯威爾博物館展示的外星人模型

一九五四年十月十日，馬里尤斯・德威爾德先生發現了一個不明飛行物停在他家附近，爾後從這個飛行物中走出來一個類人生命體。德威爾德先生說：「我所看

到的這個『人』戴著透明的、柔軟的頭盔。儘管天色有些黑，我還是看清了他的臉、耳朵和頭髮。這個『人』看上去很像亞洲人，面部更像蒙古人。他的下巴寬寬的，高顴骨、濃眉毛，雙眼呈栗色，很像那種有蒙古褶的眼睛。他的皮膚很黑。」至於服裝，他們穿的是很貼身的連身衣，就像太空人的宇宙飛行衣一樣。

從專家們收集到的有關類人生命體的報告來看，這一類生命體遇到的最多。

3. 巨爪型類人生命體

他們的身高為六十到兩百一十公分不等。他們的手臂特別長，同身軀相比極不相稱，手是巨型的大爪子。據目擊者們講，這些類人生命體都赤身裸體，不穿任何衣服。

一九五八年十一月二十八日凌晨兩點，兩名委內瑞拉首都加拉加斯的長途卡車駕駛員看到了一個巨型的、閃閃發光的圓盤在地上著陸，從圓盤中走出了一些巨爪型的「人」。

他們先看到的外星人是一個渾身發光、頭披長髮的侏儒，這個侏儒一步一步地朝他們走來。當侏儒離他們非常近的時候，一個司機朝侏儒撲了過去，要把他逮

探索 UFO 未解之謎

住。這樣，司機就和那個來自外星的人搏鬥起來。侏儒力大無比，一下子就把司機打翻在地，接著就向圓盤跑去。此刻，其他類人生命體從圓盤中出來解救自己的伙伴。之後，他們都消失在圓盤中。由於目擊者是在近距離看到類人生命體的，所以他告訴調查這次事件的專家們說，這個侏儒有像爪子一樣的手指，他的手是有蹼的。

一九五四年十二月十日在阿根廷的奇科，以及同年十二月十六日，在阿根廷的聖卡洛斯都曾發生過類似的事件。

同矮人型與亞洲人型類人生命體相比，這種巨爪型的類人生命體的特點是他們似乎對地球上的人類有敵意。幾十年來，人們發現這種巨爪型的類人生命體的次數也屈指可數。

4. 飛翼型類人生命體

一八七七年五月十五日，在英國漢普郡的奧爾德肖特，兩名正在站崗的哨兵發現，在軍營裡出現了一個穿緊身連身衣、頭戴發磷光頭盔的人，他突然騰空飛了起來。兩個哨兵驚恐萬狀，舉槍朝那個空中飛行體射擊，可是沒有打著。那兩個哨兵放下了槍，軟癱在地上。

一九二二年二月二十二日下午三點，在美國內布拉

斯加州的哈貝爾，一個名叫威廉・C・拉姆的人正在森林裡狩獵。突然，在一陣刺耳的鳴叫聲過後，他看見一個球形物在離他二十公尺遠的地方著陸了。幾秒鐘後，他看到一個身高約兩百四十公分的人朝那個球形物飛去。

一九五三年六月十八日下午兩點三十分，在美國的休斯頓，霍華德・菲利普斯先生、海德・沃爾克小姐與賈戴・萬耶斯小姐正在東三大街一百一十八號的花園裡散步，突然他們看見一個戴有頭盔的人從他們眼前飛過。

一九六七年八月二十六日，在委內瑞拉的馬圖林，一個名叫薩基・馬查雷恰的人發現了一個飛行物。起先，他還以為是一隻野鷺。等到那個飛行物在一座橋上著陸後，馬查雷恰才看清楚，那是一個約一百公分高的矮人。

一九六七年九月二十九日約十點三十分，在法國康塔爾省的居薩克，德爾皮埃什夫婦發現地面上停著一個直徑為兩公尺的圓球，在那個圓球周圍，四個矮小的生靈圍著圓球飛了一圈半後，就飛進了圓球內。圓球呼嘯升空。這時，從圓球中又飛出來一個乘員，他降到地面去尋找他遺忘在那裡的一個發光物。找到後，他飛回了圓球內，隨即圓球便迅速地飛走了。

一九六七年十月一日約晚上十點，在美國奧克拉荷

馬州鄧肯市，一些車輛行駛在七號國家公路上。突然，司機們發現在公路旁站著三個奇怪的「人」。這些「人」身穿發著磷光的藍綠色連身褲。他們的面孔很像地球人的臉，但雙耳卻又大又長。當他們看到車輛向他們行駛過來時，就騰空飛起，消失在夜空。

一九六八年九月二日約下午兩點十五分，在阿根廷的科菲科，一個名叫索拉的十歲孩子，看到一個身高大約兩百一十公分的怪人在空中飛翔。這個怪人的身體放射出奇異的光芒，飛到了一個停在地面的飛行器旁邊。

5. 其他類型的類人生命體

此外，目擊者們還看到過其他類型的類人生命體。有人曾發現過一些不具地球人類外形的智慧生物。例如：一九五四年九月二十七日，在法國汝拉山區的普雷馬農，人們看到一個長方形的生物從一個飛行器中走出來。一九五四年十月二日，法國人又看到過兩個發亮的「塊狀身影」從一個剛剛著陸的飛行器上走下來。專家們認為，上述兩起事件的怪物大概是受某個智慧生物遙控的機器人。

一九六五年和一九六六年，美國人曾發現過一種新

類型的類人生命體。他們或是矮人(八十公分高)，或是巨人(三百公分高)，這些類人生命體都具有以下特點：沒有眼睛，沒有嘴，沒有耳朵。

美國西北大學天文學家雅克・瓦萊曾經總結了發生在一九〇九年至一九六〇年期間的八十起不明飛行物事件。在這五十一年當中，人們在剛剛著陸的不明飛行物旁發現過一百五十三個類人生命體。在這一百五十三個「人」當中，有三十五個屬於亞洲型的類人生命體。

美國學者約翰・基爾認為，也許某一種類人生命體專門考察地球的某一個地區。因為從統計結果看，英國和法國受到矮人型類人生命體的「青睞」，美國東部則被亞洲人型類人生命體「壟斷」，而南美洲大陸就成了專門吸引巨爪型類人生命體光臨的地方。

從大多數目擊報告來看，似乎目擊者發現的類人生命體並不是正在進行某種特定的使命。這樣，人們就會提出這樣一個問題：為什麼外星人要讓地球人發現呢？或者說，透過這類接觸，外星人是不是試圖逐漸與地球人進行聯繫呢？

對於這些問題，由於專家們缺乏兩者之間進行對話的材料，目前尚難以回答。

來自遙遠星球的神秘電波

　　二十世紀五〇年代中期，一些發達國家開始建造一批龐大的射電望遠鏡，科學家們意識到，這是搜集地外文明訊息的潛在手段。宇宙星體發出的自然電波往往是雜亂無章、不規則的，而智能通訊電波則具有明顯的規律性，外星人如用無線電頻率進行星際通訊，我們就能夠測知這些訊息的方位而探知他們的存在。從二十世紀六〇年代到九〇年代，經過不斷的改進發展，射電技術更為先進，靈敏度加倍提高，這也就是美國國家航空航天局製訂、實施通過射電遙測探查外星生命計畫的由來。

從「奧茨瑪」行動到「沙提」計畫

　　利用射電望遠鏡遙測探查外星生命的活動，早在上個世紀六〇年代就已陸續嘗試，截至九〇年代，已先後進行了五十多次小型的有限搜尋。一九六〇年美國國立射電天文臺首次使用射電望遠鏡瞄準鯨魚星座的 t 號星

和波江星座的 e 號星，實施了「奧茨瑪」測聽計畫，雖然測聽未獲成果，但卻開闢了射電望遠鏡測聽外星訊息的先河。此後，各地射電望遠鏡在測聽中都接收到不少有研究意義的外星訊息，先後在一九七七年八月十五日和一九八六年十月十日於射手星座、一九八九年八月十四日於室女星座、一九八九年八月十六日於鯨魚星座、一九八九年十一月十五日於仙后星座、一九九〇年五月九日於蛇夫星座都截獲到了有意義的電波信息。

一九九二年美國宇航局正式批准實行一項耗資一億美元的「沙提」(SET1)射電測聽探查計畫，同時啟用波多黎各島上的世界最大的射電望遠鏡——阿雷西沃巨型射電望遠鏡，以及加利福尼亞遙測通訊中心最先進的超現代化射電望遠鏡，對整個宇宙太空的無線電訊號進行大規模、全方位檢測。「加」鏡負責對整個宇宙大面積檢測一萬兆赫以內的訊號，「波」鏡負責對距地球一百光年以內的八百個星球進行定向瞄準、逐一測聽，透過點面交叉、同步掃描，尋找外星生命。

該計畫於一九九二年十二月十五日開始實施，這一天正值哥倫布發現新大陸五百周年。在波多黎各阿里希的茫茫森林中，美國宇航局著名天文學家吉爾·塔特俯

向操縱臺，開啟了阿雷西沃射電望遠鏡。同一時間，她的副手在加利福尼亞「戈爾茲頓」跟蹤站開啟了另一臺巨型超級望遠鏡。搜尋計畫正式運行。

一九九三年六月八日，美國和其他國家的宇宙測聽科學家們召開了「尋找發達外星有智文明發射的無線電波」年會。科學家們在會上分析了宇宙中已發現的數萬種無線電訊號，發現其中有一百六十四種訊號可能有智能生命跡象，值得進一步研究。其中尤以德國艾費爾觀測站收到的一次訊號最有價值。

獵戶星座發來的「天書」

一九九三年二月十五日凌晨，在德國西部艾費爾山上的宇宙觀測站機房裡，德國宇宙空間探索計畫組織的研究員夏特姆·科爾巴赫博士像往常一樣，認真注視著從直徑一百公尺的巨大射電望遠鏡傳過來的各種訊息數據。科爾巴赫堅持和他的同事們一起，做這項人類最偉大的、卻又是最枯燥無味的工作，希望有朝一日能搜尋到來自宇宙其它星體智能生物發來的電波。

兩點三十六分，电腦突然發出蜂鳴訊號，螢幕顯示是一組連續數據的無線電波，來自獵戶座大星雲方向。

印表機立刻將有關電波訊號的各種數據自動記錄下來。這組奇怪的電波一共持續了三分十七秒，電波消失後，科爾巴赫立即打電話向設在波恩的宇宙空間探索計畫組織總部作了匯報，並通過電腦網絡，將這一驚人訊息的數據傳輸給總部的計算中心。沒想到的是，此時一件意想不到的事情發生了。

當計算中心力圖破譯這組電波語言時，电腦卻突然「罷工」了，拒絕接受任何指令。是外星人不想讓我們知道他們是誰，來自何方？還是給我們出難題？研究人員百思不得其解。最終，他們不得不採用人工破譯。但請來了幾位著名的破譯專家，琢磨了一個多月後，也沒能將這一數據破譯。這份長達七頁的「天書」儘管至今無人能看懂，但研究人員仍在進行不懈的努力。雖然天書難識，但它至少證明測聽見效，找到了一個有話要講而語言不通的宇宙鄰居。

發往外星的名片與電報

「地球名片」與先驅者計畫

「地球名片」是一張長二十三公分，寬十五公分、帶圖案的鋁盤，由美國康乃爾大學教授卡爾‧薩根與夫人琳達‧薩根及「奧茨瑪」計畫領導者德雷克精心設計而成。他們在鋁盤上以圖畫的形式表示出太陽系中地球所在的位置、男人和女人的裸體形象、氫原子結構、距地球最近的脈衝星的位置和周期、先驅者號的飛行路線等。由於星際空間的腐蝕率特別低，這張「地球名片」可以保持億萬年仍然非常清晰。「先驅者十號」和「先驅者十一號」行星探測器就像是宇宙中的漂流瓶，攜帶著「地球名片」第一次向外層空間送去了人類與地球的訊息。

一九九七年三月三十一日，考慮到巨大花費和發回的科學資料越來越少，美國宇航局艾姆斯研究中心決定

中止先驅者計畫。但到二○○一年四月三十日，失蹤已久的「先驅者十號」突然向地球發來聯繫訊號：「我還在太陽系外，一切安好。」之後八個月，它再次失去蹤跡。就在科學家已為它寫好悼文時，二○○二年三月二日，美國宇航局的科學家隔著一百一十九億公里的距離探測到它仍在正常運轉……二○○三年一月二十二日，「先驅者十號」終因核燃料耗盡與地球失去了聯繫。

「先驅者」消失了，送往宇宙的「地球名片」不知下落如何，人類發往外層空間的首次溝通可能無果也可能出現奇蹟，現在所能做的只有等待。就像美國宇航局太陽系開發部主任科林·哈特曼教授所說：「我們只能祝福它一帆風順。」

發往太空的電報

先驅者計畫實施兩年後，一九七四年十一月十六日下午，在慶祝當時世界上最大的射電望遠鏡——位於波多黎各的阿雷西沃天文臺射電望遠鏡鏡盤換面典禮上，科學家又用它向外層空間發送了一份長達三分鐘的電報。

這份電報是用數學語言編寫的，用○和一的二進製符號表示一千六百七十九個訊號。一千六百七十九是二

十三與七十三的乘積，外星人如果能夠接到訊號，應該能排成長七十三、寬二十三的長方形。如果用黑方格表示一、白方格表示〇，那麼，電報內容所顯示的圖像就是地球人所要表達的內容。它的大概意思是：「這是我們怎樣從一數到十。這是我們認為有趣或重要的原子：氫、碳、氮、氧、磷。這是生命遺傳物質 DNA 分子的基本組成物的化學式。DNA分子具有雙螺旋結構，它對電報中央那個形態的地球人非常重要。地球人高約一百七十六‧四公分，總人口超過四十億，太陽係總共有九顆行星。這封電報給您帶來一臺三百零五公尺射電望遠鏡的問候。您的忠實朋友。」

這份電報以光速飛向兩萬五千光年以外的武仙座星團M13。武仙座星團M13是否存在高級智慧生命，地球人絲毫不知，之所以選擇它，一是因為它距離地球比較近，二是因為這裡集中了數十萬顆恆星，訊號被接收的可能性相對而言比較大。如果這數十萬顆恆星中哪怕有一顆恆星的星係具備智慧生命，並能操控大型射電望遠鏡，那就有可能接收到這份發自地球的電報。再進一步而言，如果再能給出回覆，地球人將會在五萬年以後接收到。

探索 UFO 奧秘的「藍皮書計畫」

　　一九四七年阿諾德目擊UFO事件發生後，為了探索UFO的奧秘，美國開始醞釀一個研究UFO的專項方案。一九五二年，著名的「藍皮書計畫」啟動。這個計畫在一九六九年宣告停止，前後共研究了十七年。一九七七年初，有關此項計畫的所有數據和檔案均送到美國檔案管理處，內容包括一萬兩千六百一十八件目擊報告，其中近一萬兩千件報告所述的UFO，當局均以已知物體做出解釋，例如飛機、氣球、雲彩、流星、鳥、人造衛星及光線反射等。還有一些被認定是謊報。科學家們是嚴肅地對待各種 UFO 報告的，因此使得大多數 UFO 報告的神秘外衣很快被揭開。但是對另外的五百八十五個 UFO 報告卻無法用一般的物理及大氣現象來說明。

　　科學家們經分析後得出的結論是：UFO可能是一種自然現象，也可能是一種幻覺、騙局。例如，「藍皮書計畫」記載一件發生於一九四八年的著名 UFO 事件：

「一九四八年七月二十四日的凌晨三點四十分，一位駕駛員和一位副駕駛員在駕駛 DC-3 型飛機時，迎面看見一個物體從他們的右上方掠過，急速上升，消失在雲中，時間大約有十秒鐘……這個飛行物似乎有火箭或噴氣之類的動力裝置，在它的尾部放射出大約十五公尺長的火焰。該物體沒有翅膀或其他突起物，但有兩排明亮的窗子。」事實上，那天夜間正好有流星雨，所以天文學家認為這個奇怪的物體實際上是遠處的一顆流星。

　　眾所周知，人的眼睛有時會把一些小圓點視為一條線，或者將某些不規則形狀的物體看成一種熟悉的東西，甚至在某個觀察角度和一定的天氣條件下，即使一些視力良好、有理智的人也會把一顆星或一架飛機看成一種其他物體。天文學家門澤爾就遇到過這樣的情況：一九五五年三月三日夜間，他在靠近白令海峽的北極地帶飛行時，突然看到一艘明亮的UFO閃爍著紅綠兩色的光芒，從地平線的西南方射向飛機。在離飛機大約一百公尺的地方，它突然停止了。飛行物的直徑約相當於滿月的三分之一。它忽而消失在地平線，忽而又返回。這時，門澤爾突然意識到這是天狼星的模糊形象，天狼星乎隱乎現是由於遠處的群山擋住了星光的緣故。

飛艇和探測氣球常被當作 UFO

有些UFO事件至今還不能得到令人滿意的解釋，那麼是否可以肯定它們就是外星人的交通工具呢？回答是：不能肯定。依照現代天文學的觀測結果，銀河係的直徑為八到十萬光年，在如此廣闊的宇宙空間裡，為數不多的文明世界相互探訪的機率簡直像大海撈針一樣。有科學家計算過，假如銀河係有一百萬個文明世界，每個世界每年必須發射一萬艘飛船，才可能有一艘來到地球上。可見，對UFO事件應採取謹慎態度，在證據不足的情況下，不可貿然採取行動。例如，一九四八年一月七日美國飛行員曼特爾駕機追蹤一個「飛碟」，結果機毀人亡。後來的調查表明，那個「飛碟」是一個用於科學實驗的高層大氣等高探測氣球。英國有關部門曾對一

九六七年到一九七二年間的一千六百三十一個飛碟事件進行了調查，分析結果表明其中的兩百零三件是人造天體(衛星或其他飛行器的碎片)，一百零八件是氣球，七百零五件是飛機，一百二十一件屬於大氣中的光學現象，一百七十件實際上是一些明亮的天體。餘下的三百二十四件仍有待進一步的調查研究。

一九六八年，美國科羅拉多州立大學開展了對UFO的學術研究，著名的物理學家康頓博士主持領導了UFO研究工作，有幾十位專家學者參加了這一學術活動。最後，他們撰寫出長達一千五百頁的《UFO的科學研究》學術報告，經國家科學院審查後於一九六九年公開發表。報告的結論是：沒有根據證實UFO是天外來客，對此無須做進一步研究。據此，美國空軍於一九六九年十二月終止了「藍皮書計畫」。

儘管「藍皮書計畫」結束了，但許多人對上述學術報告不滿意，原因是報告中回避了一些無法解釋的現象，人們批評這是不科學的態度。

神秘的五十一禁區

高度保密之地

五十一禁區位於美國內華達州，是美國最為隱秘的研究基地之一，這裡建有長度超過五千公尺的大跑道，跑道一側是若干個飛機庫，其中有幾個外形巨大，頂部被漆成了白色。更惹人注目的是禁區中的空中交通管製天線，這座天線底座呈長方形，長一百二十公尺，而天線本身高四十五公尺。

美國空軍在這裡進行的所有活動都與絕對保密飛行技術有關。長期以來，五十一禁區一直處於極為嚴格的保密安全監管之下。整個禁區周圍雖然沒有圍牆，但設有鐵絲網、紅外跟蹤監視儀等，全身配備高科技設備的警衛人員二十四小時不停地開車巡邏，他們不斷地向各類來訪者發出警告，禁止拍照、錄影，甚至還會用武力脅迫來訪者速速離開。基地上空屬於空中禁區，禁飛區

域為四十二公里×四十公里，很多軍事飛機的飛行員都認為這是個「盒子」，連他們也不得飛入，如果有航空公司的飛機盲目闖入，那肯定會被毫不客氣地擊落下來。

禁區內的奇怪事件

高度保密措施為五十一禁區增添了神秘色彩，更使平常民眾無法接近這處禁區，但關於它的傳聞報導卻迅速傳播開來。

一九八九年，美國一名叫博勃·拉扎爾的男子在拉斯韋加斯電視臺上聲稱，他曾受雇於五十一禁區，參與外星人飛碟研究項目，他說曾有九個碟狀飛行器從附近一個被稱做「S-4」的高度保密地區起飛。這番言論一出，早就懷疑該地區的UFO迷們立即設法冒險潛入，試圖發現外星人的秘密。

四月十八日，空軍發言人卡勒思說：「我們承認那裡有一個空軍基地，那裡進行的工作是保密的。但我想我們沒有做外星人試驗。」公布該區域內照片的高空影像公司總裁霍夫曼也說：「這是世人首次見到美國絕對保密的空軍基地的真面目，但照片上沒有外星來的小綠人。」

還有一次事件令公眾頗覺蹊蹺。一個日本的電視拍攝小組觀看了五十一禁區的地面設施後，曾在附近上空拍攝下了非常罕見的發光現象。節目播出後，觀眾可以清楚看到畫面上有幾個像蛇一樣在空中自由擺動的強烈光柱，有時它們也會突然停止擺動，靜止著停歇幾秒鐘。至今人類還沒有製造出任何一架飛行器能夠做出如此精彩的飛行動作，它與各地傳聞中的UFO飛行軌跡非常相似。它到底是何種飛行器，是由人類製造還是來自其他空間？對於這一公開的影像數據，美國軍方一直未做出任何解釋。

中國科學家如何看 UFO

中國社會科學及自然科學的權威知識讀物《中國大百科全書》，在一定程度上概括了中國科學家們對 UFO 的基本觀點。在《中國大百科全書》「航空、航天」冊中列入了「不明飛行物」(UFO) 條目的解釋，應聘撰稿人是中國 UFO 研究會第三屆理事長孫式立先生。UFO 的解釋全文如下：

不明飛行物

未經查明來歷的空中飛行物，國際上通稱 UFO，俗稱飛碟。據目擊者報告，其外形多呈圓盤狀 (碟狀)、球狀和雪茄狀，在空中高速或緩慢移動。二十世紀以前較完整的目擊報告有三百件以上。飛碟熱首次出現在一八七八年一月，美國德克薩斯州的農民 J・馬丁看到空中有一個圓形物體。美國一百五十家報紙登載了這則新聞，把這種物體稱作「飛碟」。一九四七年六月，美國

愛荷華州的一個企業家 K‧阿諾德駕駛私人飛機，途經華盛頓的雷尼爾山附近，發現九個圓盤高速掠過空中，跳躍前進。這一事件在美國所有報紙上得到報導，又一次引起了世界性的飛碟熱，發現飛碟的報告紛至沓來，各國政府和民間機構也紛紛組織調查研究。

關於不明飛行物的爭論

自上世紀四〇年代末起，不明飛行物目擊事件急劇增多，引起了科學界的爭論。因為UFO不是一種可以再現的，或者至少不是經常發生的事物，沒有檢驗的標準，迄今在世界上尚未形成一種絕對權威的看法。持否定態度的科學家認為，很多目擊報告不可信，不明飛行物並不存在，只不過是人的幻覺或者目擊者對自然現象的一種曲解，可以用天文學、氣象學、生物學、心理學、物理學和其他科學知識來說明。他們甚至把飛碟學視為偽科學。肯定論者認為，不明飛行物是一種真實現象，正在被越來越多的事實所證實。但許多UFO專家表示，他們並不肯定UFO是外星飛船。他們認為不應該把相信UFO的存在與相信它來自外星的理論混淆在一起，因為來自宇宙的假設只是根據其飛行性能、電磁性質以

及目擊者的印象解釋歸納推斷出來的，正確與否尚待查證。也有一部分UFO專家支持「外星說」。一些學者還指出，飛碟現象在許多方面與已知的基本科學規律不符，在解釋這種現象時，理論上所遇到的困難是它至今未能為現代科學家所承認的主要原因，但不能因此就輕易否定這種現象的存在。

目擊事件分類

到二十世紀八〇年代初，全世界共有目擊報告約十萬件，每年平均還要增加三千餘件。不明飛行物目擊事件與目擊報告可分為四類：

1.白天目擊事件(其中一些被拍攝成照片)。

2.夜晚目擊事件(一小部分也被拍攝下來)。

3.雷達顯像。

4.近距離接觸和有關物證。

另外，按目擊者與不明飛行物接觸的程度，分為遠距離接觸(即零類接觸)與近距離接觸(分一到四類接觸)。

對不明飛行物的解釋

1.自然現象：某種未知的天文或大氣現象，如地震

光、大氣碟狀湍流(一些科學家認為 UFO 現象是由環境污染誘發的)，或者地球放電效應。

2.對已知現象或物體的誤認：被誤認為UFO現象的物質和因素有天體(行星、恆星、流星、彗星、隕星等)、大氣現象(球狀閃電、極光、幻日、幻月、愛爾摩火、海市蜃樓、流雲)、生物(飛鳥、蝴蝶群等)、生物學因素(人眼中的殘留影像、眼睛的缺陷、

很多 UFO 目擊事件都是對已知物體的誤認

對海洋湖泊中飛機倒影的錯覺等)、光學因素(由照相機的內反射、顯影的缺陷所造成的照片假象，窗戶和眼鏡的反光所引起的重疊影像等)、雷達假目標(雷達副波、反常折射，散射、多次折射，如來自電密層或雲層的反射或來自高溫、高濕度區域的反射等)、人造器械(飛機燈光或反射陽光、重返大氣層的人造衛星、點火後正在工作的火箭、氣球、軍事試驗飛行器、雲層中反射的探照燈光、照明彈、信號彈、信標燈、降落傘、秘密武器等)。

3.心理現象：有人認為UFO可能純屬心理現象，它

產生於個人或一群人的大腦。UFO現象常常同人們的精神、心理、經歷交錯在一起，在人類大腦未被探知的領域與 UFO 現象間也許存在某種聯繫。

4.地外高度文明的產物：有人認為有的UFO是外星球的高度文明生命製造的航行工具。

研究現狀

全世界約有三分之一的國家在開展對不明飛行物的研究，已出版的關於不明飛行物的專著約三百五十餘種，期刊近百種。對不明飛行物已有不少官方和民間研究機構在進行研究。世界上較大的研究機構都擁有一批專家，包括天文學家、植物學家、生物學家、醫生和精神病學專家、化學家和物理學家，還有航空、土木、電氣、機械和冶金等方面的工程師，以及語言學家、歷史學家等。在美國，一些理工大學甚至已把不明飛行物問題正式列入博士論文的選題，一些大學和空軍院校還開設了不明飛行物課程。中國也建立了以科技工作者為主體的民間學術研究團體──中國 UFO 研究會。在港、澳、臺均建有類似的飛碟研究組織。中國關於不明飛行物的科普刊物《飛碟探索》於一九八一年創刊。

UFO 留下的神秘圖案

「藍皮書計畫」記載的事件

美國「藍皮書計畫」檔案中，記錄了一九六四年四月二十四日下午發生在墨西哥索可羅島的飛碟著陸事件。目擊者洛尼・扎莫拉警官說：「一個卵形的飛碟真真切切地停在離我不遠的地方，而且旁邊還站著幾個身材矮小的類人生物……我想，這幾個類人生物就是所謂的『外星人』。幾分鐘後，這個卵形的飛行物在轟鳴聲中飛走了，在它停留的地上還留著清晰的著陸痕跡。」最為重要的是，他還在這個卵形飛碟的表面發現了一個奇怪的符號。

其實很久之前，在UFO目擊事件中，人類就發現了有些不明飛行物表面帶有奇怪的文字、圖案或者符號，有些還直接出現一些投影式的人臉、人體或其他稀奇古怪的形體。

「藍皮書」檔案中記載了一份來自美國奧克拉荷馬州坦普爾市的UFO目擊事件，記錄寫道：一九六六年三月二十二日，在空軍基地工作的維·雷克斯頓士兵看見一個魚形飛碟出現在天空中，它帶有水平翼和襟翼，而且尾部噴著火焰，外殼上帶有「T 一四一六八」或「T 一四七六八」字樣。維·雷克斯頓立刻向上級報告了這一重要發現。經過軍事人員的詳細調查，確認該事件屬實，並且還有一些別的目擊者。

俄羅斯上空的人頭像

在俄羅斯，類似事件也時有發生。一九八三年十一月二十三日，一個中年男人的頭像出現在俄羅斯的中科雷姆斯克上空，並持續了三個多小時，目擊者多達數百人。一九八九年八月八日，一個圓柱形飛碟出現在空中，俄羅斯某儀表廠廠長尼古拉·鮑伊卡目睹了這一情景，他說：「剛開始這一圓柱形飛碟一動不動地停在空中，忽然一道光柱從飛碟底部射向地面，隨後便有幾個類人生物順著光柱飄落到地上。一個白臉黑髮的女人和一個長鬍子的黑髮男人隱隱約約出現在飛碟上。」一九九〇年三月十四日晚間，俄羅斯南烏拉爾鐵路沿線也發

生了類似事件，據卡塔爾車站列車記錄員回憶道：「在距離車站五百公尺的天橋附近，忽然出現一個火球狀飛碟，剛開始是紅色的，後來漸漸變成淡黃色，像月亮一樣掛在天空。這個月亮般的飛碟裡面似乎有人臉似的東西。大約過了三個小時，它離我們越來越近，懸停在空中一陣子後，突然飛走了。」

宇航學之父康斯坦丁・齊奧爾科夫斯基在他的《宇宙的意志・不明智慧力量》一書中寫道：「這件事實在太神奇了，儘管已經發生了四十年……一塊很規整的十字架形雲彩出現在半空中，後來這塊雲彩漸漸地變成一個人的形狀，其頭部、雙手、雙腳和軀幹都能清晰地分辨出來。後來，這塊雲又變幻成好幾個相貌各異的人形。」

薩利斯科密碼

在這類神秘事件中，最著名的要數「薩利斯科密碼」事件。一九八九年九月十五日，在俄羅斯羅斯托夫州的薩利斯科市上空出現了幾個長方形，而且長方形中還有一些數字和符號。飛碟愛好者發現這些長方形的排列是有嚴格順序的。它們懸停在半空中，就像在空中投

放的電影，由於離地面並不高，又似乎是有人從地面上拋到天空中的一樣。

有人認為，這可能是有某種深奧含義的「天書」，向地球居民暗示著什麼；也有人認為，這只是噴氣式飛機留下的一行反作用沉降物。但是科學家和飛碟愛好者的觀察和研究證實，天空中出現的種種光怪陸離的現象，與噴氣式飛機留下的反作用沉降物根本沒有共同之處。

看來，除了地球上的人類之外，我們所說的外星人也有用來表達訊息的語言和文字。那麼，這些「天書」究竟要向我們地球上的人類表達什麼呢？

神秘的「藍色檔案」

「藍色檔案」也叫藍色檔夾或克格勃藍色檔案，是由蘇聯國家安全委員會擬定的一份有關蘇聯境內飛碟活動的正式報告。這份報告經過二十年的研究和撰寫，囊括了二十世紀六〇年代中期到八〇年代中期很多關於UFO的描述，以及蘇聯軍方試圖抓捕外星人的各項資料。

早已開始的秘密關注

二十世紀中期，UFO頻頻光臨蘇聯領空，引起大批群眾的恐慌與科學家的關注。一九六八年，蘇聯空間技術探索委員會的十三名設計師和工程師，向蘇聯部長會議主席柯西金遞交了一封信，要求建立一個專門的組織研究UFO。

柯西金閱後，親自寫了回信：「蘇聯科學研究院與氣象部門、國防部和其他幾個部門，正考慮進一步研究這種所謂的『不明飛行物』。這些部門已經被授權研究

任何有關UFO的事件，以確認其意圖，蘇聯科學研究院員責主要項目的研究，因此成立專門研究UFO的機構沒有必要。」

這份簽署意見對設計師和工程師們無疑是個鼓勵。時任科學研究院主席兼「藍色檔案」保管人的弗拉基米爾這樣描述他的意外之感：「真是太令人驚訝了，這是當局第一次在正式檔案中承認UFO的存在，原來他們對這個問題也很有興趣。」

這似乎是個訊息，暗暗表明蘇聯一直在秘密關注領空飛過的不速之客。到了一九九一年，一次突發事件印證了人們的猜想。當時，蘇聯太空人普韋爾·波波維奇乘坐飛機從華盛頓飛往莫斯科時，看見一個發光的三角形飛行物正以每小時一千公里的速度接近飛機，片刻之後，這架不明飛行物沒有留下任何痕跡又突然消失了。普韋爾·波波維奇向當局匯報後，收到了這份描述UFO事件、共計一百二十四頁的絕密檔案。

蘇聯解體後，軍方一些機密材料或解禁公開，或無故流失，藍色檔夾也在各界開始略有傳聞。二〇〇五年十二月二十二日，俄羅斯《真理報》公開報導，俄羅斯情報機構已經解密蘇聯國家安全委員會的藍色檔夾，承

認確有不明飛行物存在。

俄羅斯「藍色檔案」中的 UFO

據俄羅斯《真理報》報導，包括著名的「藍色檔案」在內的數據已於最近解密，蘇聯著名太空人波波維奇一九九一年從克格勃那裡獲得了著名的「藍色檔案」。波波維奇稱，他曾目擊到 UFO，後來他擔任了 UFO 訊息與應用學會的榮譽主席。「藍色檔案」中包括了多起關於UFO事件的描述，以及軍方為抓獲外星人而採取的一些行動(多數行動以失敗告終)。

UFO訊息與應用學會主席阿紮紮稱：「這是一個真正的突破。我們於一九九一年才獲得了『藍色檔案』，在波波維奇要求獲得UFO的相關報告後，有關部門將檔案轉給了他，我從波波維奇那裡得到了這一檔案。這是一份一百二十四頁長的有關UFO現象的報告，部隊指揮官、目擊者、地方當局報告了多起 UFO 現象。」

「藍色檔案」表明，克格勃特工曾對UFO現象進行過深入的調查，他們曾試圖搞清楚一九八七年十二月十五日在礦水城機場到底發生了什麼事。機場的調度人員稱，當天晚上十一點十五分，編號六五七九八班機報告

說有一個疑似飛行器的東西開著頭燈接近過來，三分鐘後即自行離去，但是雷達根本沒有顯示出任何跡象。另一架飛機的機組人員也在這一區域觀察到有UFO飛行，機組人員稱，UFO留下了一條烈火一樣的軌跡。一名村民報告說看到一架著火的飛機於晚上十一點三十分左右飛過村莊，目擊者稱這架飛機隨後消失了，目擊者沒有發現飛機殘骸或者飛機墜毀的任何跡象。

而軍方則往往想要由他們自己來處理UFO事件。一九八七年八月的一天，季克西半島的防空部隊試圖了解一個雷達上出現的不明飛行物體，四五○三八部隊的值班軍官洛巴諾夫上校報告說：「莫斯科時間五點四十五分，在防空部隊指揮官辦公室的雷達上偵察到一個不明目標。莫斯科時間六點五十五分，一架M-8直升機起飛以對不明物體進行近距離的觀察，這一物體突然不見了。」另一架A-12飛機當時正在附近空域飛行，機組人員報告說看到一朵綠色的雲，雲中間有紫色和黑色的點。

列寧格勒軍區一九八七年八月也發生了一起UFO事件，五名軍官被派到卡累利阿北部去看管維堡市附近發現的一個不明來歷的物體。該物體據說有十四公尺長、四公尺寬、二‧五公尺高。軍方想盡辦法也沒能打開這

個「外星容器」，最後該物體於九月底從飛機庫中神秘消失。

　　研究人員認為，「藍色檔案」是一個很有價值的研究UFO的訊息來源。阿紮紮稱，所有報告和證據都顯示有一種有智能的生命控製著UFO，他們並不威脅人類，至少在檔案中還沒有UFO攻擊人類事件的報告。

國家圖書館出版品預行編目資料

探索 UFO 未解之謎 / 趙芳芳編著. -- 修訂 1 版. --
新北市：黃山國際出版社有限公司, 2023.07
　　　　面；　　公分. --（百科探索；001）
ISBN 978-986-397-142-9（平裝）
1.CST：不明飛行體 2.CST：外星人
3.CST：奇聞異象

　　　　326.97　　　　112009004

百科探索 001
探索 UFO 未解之謎

編　　著	趙芳芳	
印　　刷	百通科技股份有限公司	
	電話：02-86926066　傳真：02-86926016	
出　　版	黃山國際出版社有限公司	
	220 新北市板橋區縣民大道 3 段 93 巷 30 弄 25 號 1 樓	
	電話：02-32343788　　傳真：02-22234544	
E-mail	pftwsdom@ms7.hinet.net	
總 經 銷	貿騰發賣股份有限公司	
	新北市 235 中和區立德街 136 號 6 樓	
	電話：02-82275988　　傳真：02-82275989	
	網址：www.namode.com	
版　　次	2023 年 7 月修訂 1 版	
特　　價	新台幣 320 元（缺頁或破損的書，請寄回更換）	

ISBN：　978-986-397-142-9